自己をいきる

―生る 活る 息る―

長迴　紘

本書を畏友　坂井悠二、　大井至両君の霊にささげます。

はじめに

この世は見えるものと見えないものからなっています。われわれが生きていくということは、見えていなかったものが段々見えるようになっていくということです。見えないものにも徴（しるし）があります。見方の深まりを見視観といいます。医者の世界では徴をよく診ることに診断の基本があり、診断した状態・病気がその患者さんにとってどういう意味を持つかを考えることが観です。どの世界でも同じこと。奥には奥があります。本質を覆っているものを丹念に剝がしてゆくのが、見るすなわち生きる。

しるしがみえるためにも物事がよく見えるような生き方が求められます。たとえば健康は何かと考えた場合、若い時には健康は目に見える肉体の躍動と思いがちなものです。それもそうですが、躍動をもたらす目には見えない心の健康にこそ健康の本質があると分かってきます。「健康な精神は健康な肉体に宿る」ではなく「健康な肉体は健康な精神に宿る」です。肉体も、目に見える筋肉ではなく、筋肉を支える外からは見えない内臓にこそ要があると分かるようになります。一事が万事、この世を奥の奥で動かしているものが分からないと自分が何によって生きている、生かされているかは分かりません。

動物も植物も生物は自分ではなく親から生まれる受動的な出現です。人間も同じです。しかし、人間の生き方には二種類あって、あたえられた生を消費し食べきったら消えて行くのと、生きている間に何かを為して為尽したら消えてゆくのとの二つです。言い換えれば、道を歩いているがなぜ歩いているか分からない者とわかっている者。分かっている者は歩くということそれ自体が充実しています。旅をしていれば、目的地へ着こうが着くまいがそれは二次的なことで、充実した歩きを歩いていることが歩くすなわち生きることです。生きていることの意味を内在化する(自分のものとする)ことなく、目標・結果に囚われるのは空しい、彼は一生を見ることもなくただ年をとっただけ。

生きてその日その日を暮らすのが大切なのではなく、日々の暮らしのその核心をなす一貫したものがある、根を持つこと。そこに止まらないで翼をもって羽ばたくこと。この二つが生の導者ですが、根を持っても沈みこまない。翼をもってもフワフワしない。わたしは医者として大腸内視鏡(コロノスコープ)の開発、早期がんの診断法の確立。社会人として病院長を務める。老人として高齢者の生き方の探求。この三つを為し、その経験からこの本をものすることができました。本書は21年晩秋に出版した『コロナの時代を生きる』の改定版です。

2023年春

目次

1章　健康

・健康は人を外へ連れ出し、病気は内へ連れ戻す
・健康とは生きてゆく力の充実。精神的に、肉体的に、社会的に
・健康とは、生命からのなんらかの発信である。身体という外被を貫き通して、精神という内奥の脈動が輝き出ていること

健康は、ひとが善く生きるための基本です。健康だとできることが不健康だと難しいからです。しかし「時間とは何だろうかと、聞かれるまではよく分かっているつもりであったが、いざ聞かれると時間は分からなくなる（アウグスティヌス）」と同じように、健康も考えれば考えるほど分からなくなります。手のひらに載った雪のように見つめている間に消えてなくなります。WHOの定義「健康とは、病気でないとか、弱っていないということではなく、肉体的、精神的、そして社会的にもすべてが満たされた状態にあること」は、まさに定義のための定義、他から強制されて仕方なくひねり出しただけ、それゆえに欲張りすぎた理念を盛っているので、実は何もいっていません。「すべて」も「満たされる」も、この世にあり得ないことです。健康という方程式に的確な解は今のところまだありません。それぐらい掴みどころのないものといえます。それでも健康について何か決めておかないと、いわゆる健康について話を進めることはできません。健康とは、自分の思うように何かができる精神と肉体と社会性、ととりあえず定義します。

さて、ものごとはすべて「何故」ないしは「それは何であるか」から始まります。健康は誰もが関心を持ちます。わけもなく健康であるということはあり得ません。なにか目標があって、その実現のため健康であろうと人は努力し、その結果健康が実現され維持されるというのが普通です。人はなにか目指すものが、たとえそれがはっきり意識されていなくても、あるはずです。健康であるからその目標が近づき、近づくからますます健康が増進するという良循環。健康でないと目標が遠のく、遠のくから健康は下降線をたどるという悪循環。だから、健康とは何かが分かっていなければ健康を考える意味はありません。

健康の利点は何でしょうか。a．希望をもって生きることができる　b．身体が思うように動き、食事が美味しい　c．美しいものが美しく見える。　d．病気抵抗力・治癒力が向上する　e．異性にも同性にも人気があるなど。朝起きてから夜寝るまで、普通の人がすることが、問題なく、何故こんなことをしているのだろうなどと迷うことなく出来ることが、とりあえずの健康。朝目が覚めてから夜眠るまで何事も嫌々ではなくできれば健康と言え、そうであれば他のことも能力に従ってまずできます。健康のバロメーターは、世界が自分の命がイキイキとして見え、希望をもって生きられる。健康であってコソいろいろな希望が実現します。健康は病気に対する抵抗力であり、病気からの回復を促します。健康でないと病気との戦いにおいて一方的な敗戦に追い込まれかねません。ここでいう抵抗力とは強靭さとか免疫力と言い換えることができます。

健康という場合、われわれはどうしてもいわゆるマッチョ、肉体的力つよさをイメージしがちです。これはおそらく小中学校で教えられた「健康な精神は健康な肉体に宿る」が影響しているとおもいます。しかし逆です。本当は「健康な肉体は健康な精神に宿る」です。健康は肉体だけでなく、精神、社会性の三つが揃ってはじめて議論の俎上に上るもので、どれ一つを単独にとっても仕様がないという三位一体。また、肉体を前面に出すと老人とか身障者など最初から土俵に上がれなくなる人たちが出てしまいます。強いてどれか一つを取るとなれば肉体ではなく精神が来ると思います。相撲の世界で心技体といい、心が最初にきています。横綱になる条件は精神技能身体の順に重要であることを示しています。体力に恵まれても精神力に劣る力士は、下位では成績を上げても最終的な勝者・横綱にはなれません。

1．健康とは

健康とは、長期にわたる状態であって、一時的なものである元気などとは根本的に違います。風呂に入って湯が湯船の外へあふれ出るのを見てユーレカ（わかった）と叫んだアルキメデスのように、健康のことを考え続けていたら、ヘレン・ケラー女史のことが思い出されて、わたしも「ユーレカ、これだっ」と健康の本質が閃きました。外面よりも内面、内から発する心の輝きだ、と。盲聾啞・見えない聞こえない話せないという三重苦のヘレン・ケラー、大病で四肢を失い達磨のようになった中村久子女史あるいは１２３ページの足の悪い少女がにこやかで生き生きと、普通人より素晴らしい一生をおくられたのを見れば健康とは何かが示唆されます。ここに健康方程式の解が潜んでいると直感しました。すなわち健康とは単なる良き状態（静的）ではなく、いろいろなしかも重要なことを実現させてくれる、生きる必要にして十分と言ってよい状態（動的）のことです。しかし、それは目に見えるものではなくて身体の奥に隠れている不可視な精神面が主となるものです。なにごとも、忍耐や我慢などですら健康であって初めて可能になるものです。

人間は生まれながらに他人より劣っている、さまざまなハンディキャップを背負わされています。「障害が難物というよりは、心の障害が一番の難物です。障碍者自身が心の血を義肢に通わせるまでの努力が肝心です（中村久子『心の手足』春秋社）」。「精神や身体のうちから輝き出るもの（オーラ）」、があることが健康と思います。

健康とは一時的な状態をいうのではなくて長期間を通しての状態であるべきです。健康は精神に主導された(自己の確立した人間)ものであるはずです。自己というしっかりしたものがなくて、肉体が丈夫であるのは動物的健康にすぎません。自分のすることに自信が持てて、なにごとが起こっても耐えることができ、自力で回復できることが上の健康です。精神・肉体・社会性においても。健康は人間の生き方が形をとって表れたものです。「人間は知恵を全身に宿し、日々の意思決定に利用しています。肉体は偉大な理性であり一つの意志を持った多様体といえます。あなたの思考や感情の背後には自己という強力な支配者、未知の賢者がいます。その自己の棲家はあなたの肉体で、自己はすなわち肉体である（ダニエル・デネット『心はどこにあるのか』）。

誰にも通用する普遍的な健康というものはありません。あるのはあくまでも各人にとっての健康だけです。子供の健康、大人の健康、老人の健康、男の女の健康、サラリーマンの健康、手のない人の健康、盲目の人の健康。そしてそれらすべてに通底するものがあるのです。それは、その人が為したいことが為せる精神、身体そして社会性があることです。強靭かつしなやかな精神ならびに肉体があって共同体に溶け込んで生きている人間の状態が健康。しかし、体・心だけでも頭脳だけでも片手落ちで両々相まって必要にして十分と言え、その時々でどちらかが優勢になります。健康観は各人の主観に従ったもので、健康・不健康の有無だけの二分論ではなく健康にも程度に差があります。

表面に現れたものではなく身体の奥に隠れた根本があって、そこから全身に作用する作用因がしっかりして、しなやかな体・心となって輝き出ているのが健康だと思います。健康とは身体が良く動く、頭がよく働くなどといった外に現われたいわゆる現象面ももちろんですが、それよりむしろ、それら現象を可能にする根本的な土台にこそ健康の核心あると思います。なにごとがあっても耐えて、いつの間にか跳ね返す、病気になってもあわてない、しかし死んだら観念して化けて出ない。人生の目的は成功することではありません。努力すべきときに努力できるのが健康です。

健康とは、生きものである人間力を発揮できるといういのちの別名です。現象面だけから健康は定義できないで、現象を可能にする心という土台にこそ健康の本質はあります。健康とは心と身体のしなやかさ、回復力（レジリエンス）のことで、その奥にあるのが胆力、人間力です。いかなる試練にも耐えやがて現状を回復する力。楽しいから生きているのではなく、愛しているから生きているのでもなく、逆です。生きているから楽しいし愛することができるのです。しかしこれは生まれもったもの（遺伝子）において、生まれてからの教育においてかつ自分の努力の総合によって近づくしかないものです。

2. いのち

・生命とは、生き続けるためのひたすら自らを変化させることによって抵抗することである（ラマルク）

生物には生命の基本的な問題を自動的に解決できるような極めて精巧な仕組み、しなやかさないし恒常性、復元力が備わっています（ホメオスタシス）。その復元力を保つ働きをフィードバックといい、これらを総合したものが生きるということです。古代ギリシャ人は、個体としての生命の奥底で活動している、個体性を超えた普遍的ないのち流れをゾーエーと呼びました。それは休むことを知らないかのように運動し続けている宇宙的流動体の如きもの、万物を生む器・マトリックスです。

生きているということは、自分の状態を自分で作り維持する（恒常性の保持）ことで、生きつづけるためには、各部分が勝手に動いているのではなく各部分間にもつながりがあり、全体が統一的に働いていることです。すなわち、いのちは1．分子や細胞といった部分がばらばらに動くことではなく、それぞれが全体の一部としてはたらき、部分全体が集合体として持つ特徴を発揮する（ゲシュタルト）。2．高い秩序を自ら発現しそれを維持する能力を持っている（ホメオスタシス）。3．自分と外界を隔てる境界・壁をもっている。自分というものがハッキリしている。4．その秩序は動的なもので、それを安定的に維持（フィードバック）するためにエネルギーと物質の絶えざる流れを必要とする（清水博『生命を捉えなおす』）。

「生命は法則に従って整頓され、秩序から無秩序へ向かう傾向ではなく、既存の秩序の保持に基礎が置かれているような物質の行動」であるように思われます（シュレーディンガー『生命とは何か』）。以上述べたことは健康にも通底することで、健康と命・いのちの違いは清水の3壁と4自己増殖力の有無だけです。

3.「体・心」――身体としての心

・自分は肉体であるし、魂でもある（ニーチェ）
・身体と意志とは一体である、身体は意志でもある（ショーペンハウアー）

身体には具体化された知恵、とくに選択についての知恵があります。身体のコントローラーといわれる神経系統は単なる情報メッセンジャーにすぎないで、外界を認識することに関して身体は究極の道具です（ポランニー）。すなわち身体を自己自身として感じ活用しています。意思は身体そのものであって、身体の全体は意思が目に見えるようになったものです。

さまざまな動きをする身体各部の混合の仕方によって、それに応じて各人の考え・意思が生じます。心・意志は、身体のどこか特定の場所たとえば脳とか心臓にあるのではなく、強いて言えば身体全体が心・意思で、すべての表象・客観は体という心・意思が目に見えるようになったものです。身体の各部が体・心に凝集して一つになって働いていて、それを仮に「体・心」と呼ぶことにします。身体各部には優勢劣勢の法則が働き、あるときはある臓器たとえば脳あるいは腸（の意志）が他臓器より優勢、また別の時点では足が優勢となり全体を主導し、またある時は全身がほぼ均等に働きます。なぜなら意思するのは身体の本質だからであり、ある時、身体という混合において優勢なものがその時意志においても優勢となります。

人間（動物も）の臓器は、できあがったものをみれば平等に見えますが発生的にみればおのずと差があります。受精卵が卵割をくり返し多細胞からなる球状の胞胚となります。胞胚に起こる最初の変化が陥入、一層の細胞が球の内部へ捲（めく）れこむことで、それによって原腸が形成されます。動物の中には腸だけからなる海鞘（ホヤ）もあるくらいで、動物の基本形は海水から栄養分を吸収する原腸で、そこから各種の内臓器官が派生・形成されます。水生動物の呼吸器である鰓（えら）は腸管壁が突出派生してできますが、その鰓が陸上動物で進化したものが肺です。その他の臓器も腸管から生じます。すなわち腸（原腸）が肺や心臓といった内臓の基器官というわけで、腸の位置は「体・心」において高かつ大といえます。腸管は生命の根幹と言ってよいもので古くから「肚が据わっている」にみるように心の宿る場所とされていました。生きている、健康であるとは酸素と飲食物を外界から取り込んで、それを体内で反応させエネルギーを得る、体内の新陳代謝を行うことです。酸素を取り込む肺と栄養物を取り入れる腸管は現実的にも生命の源で、腸管が仕事をしていることが健康の根幹と言えます。肺は腸からの派生臓器であり生命の源は肺を含めた腸管にあり、です。腸の要求によく答えうることが健康。

身体を球と仮定してその球の外郭に身体の各部（手足、脳・感覚器官、心臓、消化器、腎臓など）が在って、それら各部が球の中心にいわば凝集して働きかけて、まとまった力・作用因となったものが意志する体・心です（図1）。しかし、諸臓器の初めに生じ、他の臓器の基になりそれらを派生させる腸に優勢部分が在るとする、腸gutsこそが心、という考えには古今東西根強いものが在ります。優勢部分がどこにもない時は休憩時間。

身体の一部にすぎない頭脳、いわゆる理性は身体に命令します。たとえばしっかり働きなさい、悪いことをしてはいけませんなどなどです。頑固な頭の言うとおりに生きていたら身体は疲れ果てて音を上げてしまいます。それに対して、身体各部が凝集して心として働く「体心」は竹のようにしなやかです。団結して頭に反抗、あんまり無理するなよと逃げ道を用意してくれます。赤ちゃんが最初に感じる感覚は不快感で泣くことで示しています。よく泣く赤ちゃんが良い子供に育つ。嫌なことは避け心地よいことをします。身体の一部に過ぎない頭脳に対して全身体である「体・心」の方が優勢になるのが健康です。重力に逆らって生きざるを得ない脊椎動物は骨に負担がかかります。骨を休めるいわゆる骨休めは休憩です。

身体を代表して働く心である「体心」が健康であるのが真の健康です。言葉でいえばしなやかさ英語でい

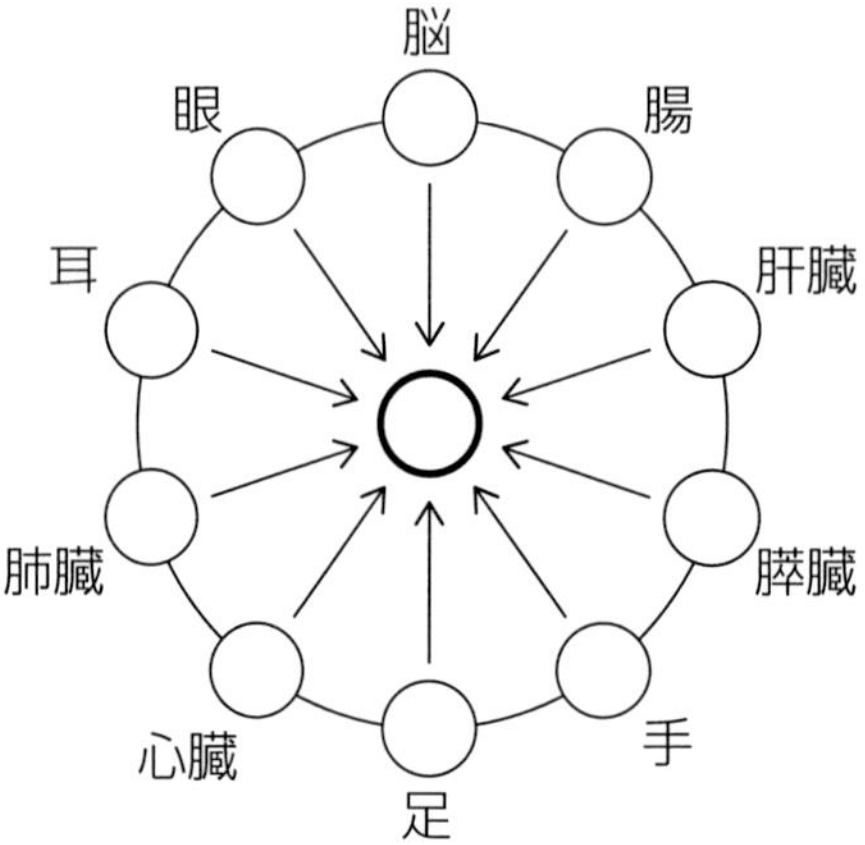

図1　「体・心」

うflexibleあるいはresilientで、竹に風折れなしというときの竹です。風に吹かれると曲がるが、風が去るとすぐ元の真直に戻ります。風で折れてしまう樹木のように頑なでない。しかし、しなやかさは受け身で、必要条件であるけれども物足りません。積極性というエネルギーが加わって始めて十分となるというのが私の健康方程式の解です。入ってくるものを包み込んで溶かして（消化）、有用なものは吸収し無用なものは排除する腸管ですが、消化はしなやかさという面にすぎないで、さらに吸収という能動面が加わって始めて消化管は健康です。頭は外界から入ってくるものを感覚器で受容するだけでなく受け入れたものが何であると判断し、そこから理性で推測を進めてゆくという多面性があることで健康たり得ます。共同体に加入するのはしなやか面にすぎないで共同体に何かを加え得て十分な社会的人間です。

快・不快感、とくに不快感は人間の原初的かつ基本的な感情で、赤ちゃんにかぎらず大人だって同じことです。「体・心」は、頭主導の行動すなわち頑張り主義から遠ざかり、身体が嫌がっていることは控えさせます。体・心が余裕あるしなやかさをもたらします。しなやかであった方が各種のハンディキャップをより効果的に包みこみます。生命とは、生き続けるためにひたすら自らを変化させることによって抵抗することである（ラマルク）。健康とはいのちの輝き、しなやかさ、回復力（レジリエンス）のことです。すなわち、外見ではなく身体の奥に隠れた根本があって、そこから全身に作用している作用因と思います。いかなる試練にも耐えやがて現状を回復する力。楽しいから生きているのではなく、愛しているから生きているのではなく、生きているから楽しいし愛することができる。そのようになったら、それをどう使うかなど考える必要はなく、自然体で生きて行けばものごとはおのずとうまくいくものです。

自分を創り上げてゆくという人間の一生は、健康がもたらすものであり、逆にその創造という目的があるから人は健康でありえます。

4. 健康各論

健康は上記のごとく根本的には同じ土台に立つものですが身体、精神、社会性および霊性に分けて考える必要があります。要点は次のようです。

a. 身体的健康は動物的健康のことなので、筋肉を使って外的になにかを為すという行動面に目が向きがちですが、発生最初期からある腸管が健康の大元です。消化吸収があれば生物は生きることができ、その他は付録。飲食物を外部から取り入れて、体内で化学反応させエネルギーを得る、すなわち身体を構成し直しかつ動かすことで、重要度ナンバーワン。身体内の状態が、入と出のバランスがとれて一定（恒常的）である、具体的には全身を巡る血液成分に変化がないことこそが肉体的健康です。

入ったものを管理して必要なものと不要なものを分別してゴミ出しをしている腎臓は心臓や肺

ほどは目立ちませんが隠れた主役です。腎臓がよく働かないと全身にリンなどの毒が回って健康が害され最終的には人工透析に至ります。なお、ミクロコスモスである人間（動物）の身体はマクロコスモスである宇宙のリズムと光に媒介されて同調していますが、同調度が高いほど、体内時計が正確であるほど生理作用がより順調にいっていて健康です。

b．精神的健康は、たびたび述べているように健康の根本に位置するもので、人間的健康と言ってよいと思います。外から入り込んでくるものを受け止め、知性と判断力でまとめそれを理性が引き受けますが、その理性が健全であることが健康です。方向感覚のない理性（狂った理性）というものもあるからです。そのうえで自分のことが分かる、自分とは何者であるかを正しく判断ができること（主体性の確立）が求められます。自分のことが分かっていることが精神的健康です。くどいようですがしかし、精神というものもあくまでも身体あってのものです。身体と精神は持ちつ持たれつ、分離不可。

c．社会的健康も人間的健康です。「人間は社会という一つの身体の手であり足であり、同じ精髄から作られている。どれか一つの痛みに苦しむと他の部分も緊張に苛まれる。人々の苦しみに無頓着なあなたは人の名に値しない（ペルシャの詩人・サアーディー）」。健康な人とは精神が、すなわち感覚、判断力、推理力（理性）が普通に働いている人。物を正しく見聞覚知できて判断が過たず、そこから理性が働く人のことです。健康でないと理性に狂いが生じます。それは、共同体に参画しかつ受け入れられていることです。個である自分の事だけを考えないで種・全体のことも同等に、あるいは種のことを個より大事に考えるのが社会的健康。種が残らなければ、自分が残っても意味がないと心から思うことが出来れば、この世に起こる多くのこと、自分の死ですらも怖くなくなります。自分にできる意味あることは種のために子孫を残すことであるとその成員の多くが考えている社会は健康で、個人が絶対と考える人が多い社会は滅びる運命にあります。後者的な人たちが増えて人口減からくる諸々の難題に悩まされている日本は社会の活気が目に見えて減っています。

人間と社会との関りは1．どこに居ても生きられかつ生きている人Anywhere派 2．あるグループ（でだけ）で通用するSomewhere派　3．どこにも居場所がないNowhere派の三つに大別されます。N派は孤独とも違い、事情の如何を問わず健康とは言えず、認知症の予備軍といわれています。

d．霊的健康とは神的ともいうべき健康。人の生き方は大別して、1．自分自身の力によって生きている。2．永遠なものに生かされている、目に見えない大きなものに支えられていると思うのとの二種類あります。後者的な、永遠なるものを見つめ、永遠なものに生かされていると感じ得る人の生き方は霊的な生き方といわれます。永遠なるものの力がこの世界をして調和あらしめ、人々を幸せにすべく働きかけていると信じています。本当に自分自身でありうるためには、自分を超えた何ものかを感じる力が必要です（ベルグソン）。努力する人には外からの救いが介入します。

ａからｄまで四つに分けて健康を述べましたが、それぞれが独立してある訳ではなくお互いに深く関係しあっているのはいうまでもありません。全体を円で表せば(図2)、外側に肉体的健康、内側に精神的健康が位置し、それらを取囲んで（社会的健康があります。その全体が調和するように働いているのが、最外側の霊性です。程度の差はありますが、誰にでもあり、見えない力で全体に作用しています。

5．どうしたら健康になれるか

「健康な肉体は健康な精神に宿る」と強調しました。もちろんこれはレトリックで、すべての基は健全な内臓です。しかし、精神も肉体も単独で在るものではなくて、しいて言えば在るものは健康な人間だけです。

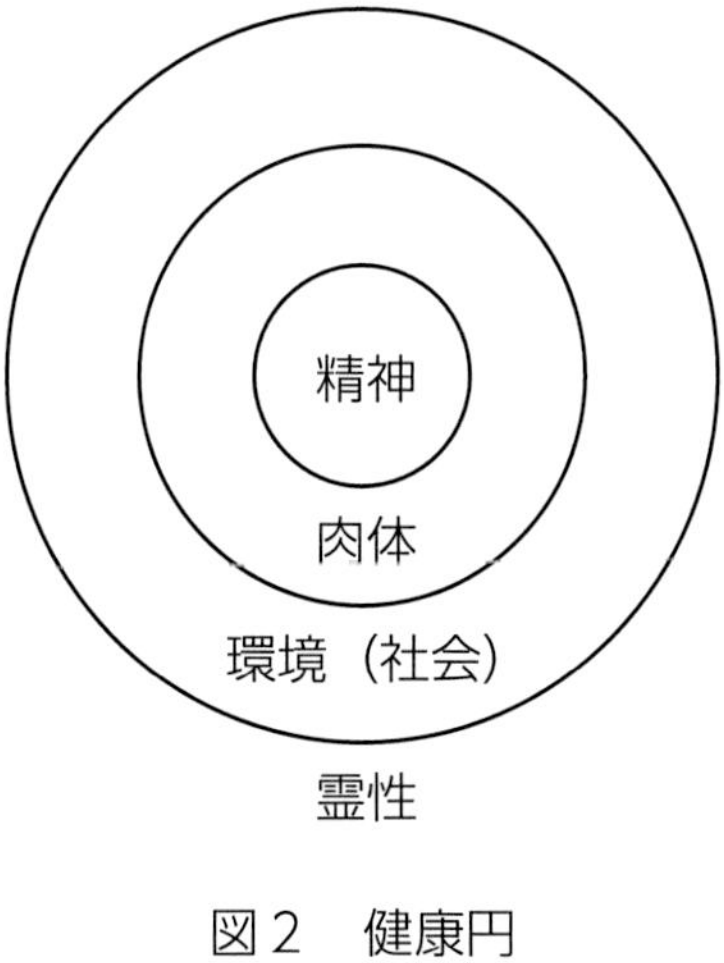

図２　健康円

すなわち「健康な精神や健康な肉体は健康な人間に宿る」。では、健康な人間とは何者でしょうか。それは「体・心」が地に根を下ろしている人、すなわち自分のことは自分で決められる人間です。自分のことが決められない人間の精神や肉体が健康である訳がありません。新型コロナが流行ったころわれわれは右往左往しました。自分のこともコロナのことも分かっていなかったからです。

健康を支える必要条件は食物・食事と体動・運動です。量を充たしバランスのとれた栄養をとり身体をよく動かすという基本のもとに精神力がよく働くようにする、それは日常的業務である仕事や研究に十分エネルギーを注ぐことです。さらに補助的に趣味をよく併用してゆければ素晴らしいことです。そうでなければどんなに努力しても健康は望めません。

赤ちゃんが嫌なことに対しとにかく泣いて意思表示をするように、健康であるためには体・心に従順であることが重要です。これは「泣く赤ちゃんは育つ、子供らしい子供が大人らしい大人になる」と通底するところがあります。

健康は有無（有・健康と無・不健康）の二種類しかないのではなく、既述のようになにを目指すかによって有・健康にはさらにまた上中下があります。上は、鍛錬ないし修行によって心が鍛えられる超人間的健康。中は社会性を目指す人間的健康。下は食と運動から得られる、生きているというだけの動物的健康。最低はゾンビ・活かされている死体。

積極的に健康であるためには、基本は精神的にも肉体的にも正しい姿勢をいかなる時にも維持することで、姿勢の崩れから服装、態度など諸々の崩れは誘発されてきます。定年後だらしなくなり落ちてゆくのはネクタイをしなくなるから、という説があります。なにごとにおいても正しい姿勢で（大地に垂直）、肚・腰が据わっている。吸う息はおおきく速く、吐く息はゆっくり時間をかけて、深く長い腹式呼吸を意図的に行うことです。調身、調息、調心。そうすると、なにごとにおいても動揺することなく自信を持って対処できるようになります。健康とは腹の据わった、いわゆる人間ができていることだと思います。なにごとがあっても耐えて、いつの間にか跳ね返している。そのうえで、希望をもって日々を生きる。しかし健康でないとなかなか希望は持てないもので、健康と希望は持ちつ持たれつの関係にあります。

健康を積極的に推進するために推奨したいことは身体と心の二重奏で、順不同にて1．歩く・ウォーキング。毎日60～90分歩く。大股で速く歩く。近間の低い山、いわゆる里山を歩く。都合が悪いから今日は止めるは大敵。

2．頭を使う。娯楽以外の本を読む。日常経験するいろいろなことに自分で回答する癖をつける。他人の説に無条件で従うことを避ける。ＴＶは日に一時間を限度とする。3．仲間の輪を広げる。世の中は関係の輪です、仲間が仲間を呼んで輪は広がります。輪は環であり和でもあります。4．しかし、骨休めを忘れない。無理は禁物。

健康度を高める格言。・汝自身を知れ。外界に関するいかなる知も、自己知から、部分的にであれ、引き出されるほかはない。自分のことが分からないで他（人、物）のことが分かる訳はない。色即是空。この世に絶対的なものはなく、あるのはただ関係だけである。なにかにしがみつかない。

健康は優れて個人的な問題です。しかし、人間が生きてゆくのに個人の努力だけでは不十分なように、健康であり健康を維持するのに個人だけでは手に負えない面もあり、個人を支える他者の協力も必要です。近いところでは友人、家族や共同体。共同体とはとりわけ経済的条件を準備するものです。日々の生活に追われていたら健康は棚の上のボタ餅、砂上の楼閣です。21世紀になって日本でも世界中でも富の極端な偏りいわゆる格差が社会の安定を妨げるものとして危惧されています。生計のみならず、弱者の健康は重大な岐路に立たされています。

経済学の祖18世紀のアダム・スミスは、生きていく上で必要最低限の富が自由な市場を通じてゆきわたり、フェアな競争が保証された社会が実現しなければならないと、健康においても富を含むスタート時点での平等を重視しています。いわゆるガチャ健康・不健康です。19世紀の功利主義者ジョン・スチュアート・ミルはスミスの論を進めて、競争に参加する機会が平等に与えられ、全ての人が多様に活躍できることによって、全体として豊かにならなければならないと強調しました。21世紀のアマルティア・センは、人生とは選択の巾を拡げるために与えられた時間であるとして、そのためには健康に向かうことの支障になる要因を除くことが重要で、それは経済的便宜、政治的自由、社会的機会、透明性の保証、保護の保証などです。

6. どう使うか

金は使い方が重要だが、健康はそれ自体が重要でどう使うかはその健康自体が教えてくれます。

7. 健康と病気

健康のために医療ができることはあり、まず病気を治し原状回復をもたらします。しかし、忘れてならないのは医療が健康に積極的に関与することはその性質上、生きる指針を示す予防医学を除いてはないということです。

健康は病気の最良の予防法で、ときには治療法でもあります。病気は人間に対する自然からの挑戦であり、種としての人間は医術（科学技術）によって、個人としては健康増進によって応戦しています。肉体の生理的機能が冒され、正常な機能が営めずに大小の機能不全が生じた状態を病気といいます。病気とは、健康でないという消極的な概念ではなく、身体のどこか、部分でも全体でもおかしいという積極的な表現です。健康の敵のひとつは病気です。

健康の反対語は病気でなく不健康です。どういうことかというと、たとえ病気であっても健康であり得るということです。病気がなくても不健康な人はいくらでもいます。たとえ病気にかかっても健康である、病気に罹ったけれども健康である人はいます。有病であること自体を不健康と見なす立場もありますが、糖尿病などの慢性疾患があってもよく自己管理というコントロールができていれば健康であり得、一定の制限のもとで生き生きと生きることは十分できます。さらに、病気になったからこそ健康、ときにはより健康ということすらあり、一病息災といいます。ある病気に罹って治ったあるいは治療中の人は、その経験によって健康に関心が深くなり、病気にかからないように悪くならないように注力するので、結果として健康な人より以上に健康になる、立派に生きて長寿に恵まれる。糖尿病や高血圧などの生活習慣病があっても生活を見直し立て直すことが、とりもなおさず健康そのものと言えます。たびたび強調してきたように健康は肉体より精神だからです。身体が病んでいなくても気力の衰えた人は不健康の範疇に入ります。

末期癌にかかっていても、人生の目標に向かって努力を続ける人は健康です。進行癌を宣告され、死をまざまざとイメージした時の患者の反応を、キューブラー・ロス女史は次のように段階づけています。1. 私が癌だなんてとんでもないと否認そして周囲からの孤立する段階、2. なんで私がこんな残酷な運命に遭はねばならないかという怒り、3，治るために癌と取引、4. 物事が思うように進まないと分かって挙句に抑うつ状態になる、5. 時間の経過とともに怒っても仕方がないとわかり、癌にかかったことを冷静に受容するようになる、という五つの段階で示しています。上手にこの最終段階に至り得れば、そこから日常性、恐らくワンランク上の健康という日常性に戻ることができる、というのが説の大要です。もちろん初期の段階で悲観のあまり健康を損ない心の病人になってしまうことも少なくありません。

超過死亡。ある国の年間死亡者数はだいたい決まっていて極端なブレはありません。近年の日本では60～65万人で、島根県が消えたなどと言われもします。新型コロナ禍において、病気による直接死ではなく長期にわたる自粛生活などで生活が不活発になって体力低下と慢性疾患の悪化などで高齢者がコロナがなければ死ななかっただろうのに、あるいはがん検診を控えたため結果として死んだ場合の余分な死亡数を超過死亡と言います。ある雑誌に「一億総不健康に陥った日本」という記事があり、超過死亡が増えたとありました。認知機能の低下もあります。

8．健康と人生 ――中庸

・リンカーンはつよい意志の持ち主だったが頑固にはならず、正義の人だが自分だけが正しいとは考えず、道徳心は篤いが道徳家にはならずにいることができた（バーリンゲーム『リンカーン伝』）」。

自分を創り上げてゆくという人間の一生は、健康がもたらすものであり、逆にその創造という目的があるから人は健康でありえます。

人間は行動する動物です。何かをするために生まれてきています。行動するとは、自分が今いる社会においていかなる役割をもって生きているかが分かっていて、大小に関わりなく何事かを為すことです。「千里の道も一歩から」あるいは「オムレツをつくるには卵を割らなければ」というように、まず始めることが肝心です。「待ちぼうけ」の主人公は童謡の世界でだけのことです。なぜ始めるかと言えば大きな光り輝く未来が見えているからです。学校教育が終わるころまでに、自分の適性・何がやりたいかが分かること以上の幸運はありません。卵を割るのは、オムレツが見えているからですが、行動に求められる目的や価値は複数あり、それらの間に衝突があることは少なくなく、どちらかに決めることは重要です。決める場面において心身ともに健康であることが決定的です。健康でないと五感も理性もちゃんと働いてくれません。五感がちゃんと、という意味は見ているもの触っているものが何であるか正しく理解できていることです。

人生の目的は「成功」にあるのではなくて、他から認められる、承認されることです。人生とは承認を求める戦いと言っても過言ではありません。プラトンは『国家』のなかで、自分自身の価値や尊厳の承認を求める魂のことを「テューモス」と言って重要視しています。努力無くして承認はあり得ません。人生とはまた、努力できる・行動すべき時に行動できる人間に育つことです。努力は承認と同じことです。努力すなわち苦しむことのできない人は永久に成長しませんし、自分が何者であるかも決して分かりません。努力できるのは健康な人の標です。努力できる人間の必要条件は健康であることで、ここでいう健康とは自分の思うように、意志の命じるままに行動できることで、行動における自由度が高いことです。

努力できる・出来ないは、就いている仕事や研究に興味がある、適性があることが極めて重要です。人間は他の動物と違って未熟なまま生まれます。ニワトリが卵から孵化するとすぐ歩き出しますが胎児はただ横たわっているだけ。人間は家庭や学校で教育を受けてやっと一人前になる動物です。この教育期間中に自分の適性を発見することになっています。適性の発見できた人はその仕事や研究にもてるあらゆる資産をつぎ込むことができ、その人相応の成功は最初から約束されています。努力と口でいうのは簡単ですが、人間は訳もなく努力できるものではありません。実際に努力と言える努力をしている人がいかに少ないかを見ればこのことはよくわかります。好きであるとか必然性がある、がなければ努力は画に描いた餅です。スポーツの一流選手はトレーニングを欠かしませんが、才能があってそのスポーツが好きだからこそさらに上を目指す努力ができるのです。適性も才能もない人は努力しようとしても不可能ですし、仮に努力（の真似をしても）長くは続きません。

医者という職業があります。周りから尊敬されそれなりの収入もあるので多くの人が目指します。まず医学校へ入らなければ始まりませんが、そこから先が問題で、医者という職業を尊い仕事と思えるすなわち医者としての適性が在ればよき医者になることができます。最初から適性に目覚めていなくても、キャリアの或る時点ある出来事を通じて目覚めることもあり、その人はその時点から別人のようになります。しかし医学校を出た人が必ずしもそうであるとは限らないで、適性のない人は職業に情熱を燃やすことはできないで平凡な医者ならまだしも、平凡な人間として一生を過ごすことになります。どんな職業でも同じことです

現実を誤解ましてや無視したり軽蔑する、倫理性や寛容性のない人間は一時的にうまくいっても最終的には挫折します。自分の希望するようにではなく、現実を客観的に理解するためには、とくに若いうちは、まず学ぶこと知識を蓄えることです。それは、「体・心」が健康であればできることです。

人の一生も、他のあらゆることと同じであって多くの層からなっています。人生を多くの層からなる球に譬えれば成功とは人生の表面を覆っているいわば皮膚のようなもので、目につきやすいけれども付属的なものにすぎません。体の深い所にあって人を生かしている心臓、肺、胃腸のように人間という球の深いところに在って、人生を人生にしているものはなんでしょうか。人によって捉え方は違うでしょうが次のようなものを挙げることができます。ⅰ．自己とは何者か分かる努力を重ねた。ⅱ．この世を底の底で支えている永遠なものに近づこうという努力をした。真理ないし普遍的なものに近づくことができた。ⅲ．人々を幸せにする、やすらがせることができた、など。これらすべてを可能にするという意味で通底するものは健康です。健康でなければこれらの目標も画に書いた餅です。ⅰ～ⅲに向かって努力できるという力がこれまた健康です。

健康と「生きる・人生」は切っても切れない関係にあります。健康は善く生きるエネルギーで、よき人生そのものと言ってもよいものです。健康でないと幸福・よき人生は来ないし、幸福でないと健康もまた保てません。人生のある種の目的とされる幸福は、健康と同じく極めて主観的なものですから、ここでは深く立ち入りませんが、晩年にたどり着く境地といわれるものです。健康になる、幸福になるという言葉があるように、この二つは生まれつき備わっているものではなく、そうでなかった状態からたどり着く望ましい状態と考えられますから努力無くしてはたどり着けません。よく生きて幸福の境地に達するのは長い物語です。そこに向かって歩むのは健康との二人三脚です。

この世にはどこであっても、いつであっても必ず二つ（あるいはそれ以上の）対立項が、たとえば右と左、上と下、有と無、善と悪などがあります。その間で股裂きにあってしまうのが我々の一生です。「二つの相反する考えを同時に持ちつつ、しかもきちんと働く」のが優れた知性である（フィッツジェラルド）。古今東西のあらゆる賢人は中庸こそが人生の目指すべき徳であると言っています。中とは過不足がない、庸とは平常であることで、中庸とは、極端に走らない、ほどよい「なかほど」を守る生き方をいいます。賢人の人生は結局のところ中庸を説きかつ行った人生でした。中国の四書の一つ『中庸』は、天人合一を説き、中庸の徳と誠の道とを強調しています。中庸はまたアリストテレスの徳論の中心概念で過大と過少との両極の正しい中間を知見によって定めることによって、徳として卓越するに至ります。例えば勇気は粗暴と怯懦の中間でありかつ質的に異なった徳の次元に達します。

2章　病気

1．病気と病人

自分が年を取って、あるいは友人・知人も年を取って、ありとあらゆる病気に悩み悩まされるようになるのをみると、いやでも病気とは何であるか、人間にとってなんであるかを考えずにはおれません。国語辞典によると病気とは体の全部または一部が生理状態の悪い方へ変化を起こすこと、とあります。英語ではdiseaseと言いますが、安らかさ、自然さ、容易などを意味するeaseに反対、無、逆、除去、分離などを意味する接頭語disがついてできた言葉です。

病気は、有機体である人間の全体や部分が不調な状態のことです。それは喪失であるとともにまた改造でもあって、決して単なる異常ということはできない、一定の環境場面との関係の中での異常です。正常なものと異常なものは与えられた条件の中で規範的なものであるから、たとえそれ自体は同じままでも、正常とみなされるものも別の場面では病的なものとなり得ます。病理的な症状は有機体と環境の間の規範に応じる関係が有機体の変化によって変えられたという事実の表現であり、正常な有機体にとって正常だった多くのものが、変化した有機体にとってもはや正常ではなくなっているという事実の表現です。真の生命というものは、自己のうちに否定を含む弁証法。「生きることは一つの病気なのだ」という捉え方もあります。ソクラテスが死を前にして言ったと伝えられている「アスクレピオス（医神）に鶏一羽の借りがある」とは、そういう

「生きるは病む（医者が要る）」であると解釈できます。

正常な有機体（生体）にとって正常だった多くのものが、変化した有機体にとってもはや正常ではなくなっているという一種の生物学的規範（行為や判断の則るべき規則）があります。病気が一種の生物学的規範であるなら、病気は決して異常ということにはならず、多くは環境との関係の中での異常ということになります。病気の定義は出発点として「個人の生存の概念」があることを必要とします。病人は規範を持たないために異常なのではなく、規範的であることができないために異常です。　参考。カンギレム：正常と病理。法政大学出版局、１９８７（原著１９４３）

生きているということ自体が病気であるみなすことは可能です。生きていることのスタンダードからのずれを病気というならば「生きていることは病気」「生きているという病気」ということは可能です。赤ちゃんや老人に限らず、生きている各年代がそれ相応の病気の場です。人間に限らず動物は弱々しい胎児に始まりこれまた弱々しい高齢者で終わり、その間も生きているのが不思議と言えるほどの難関を潜り抜けていかなければなりません。いろいろな病的状態に早めに軽くかかって突破するのが生きるコツです。そして最後に病気の王様・死がやってきます。そんな難しい話ではなくても「われわれはみな病気なのだ。どこかおかしくない人間なんてどこに居るんだ。病気でないと思っている君は一体何者なんだ」。こういった閃きからポルトガルの作家サラゴーサが、全人類が失明したらどういうことになるかという想像を小説『白の闇』のなかで膨らませています。

異常は、これがなければ正常とはどんなことかと、正常について教えるけれども、正常は異常を教えてくれません。それと同じように病気は、健康とはなにかを教えてくれますが、健康は決して病気を教えてはくれません。病気は生きものに対する反省材料ですが、そのことが分かるのは意識の在る人間だけかと思います。世の中には先天的に、痛みというものを全く感じないひとがいますが、とても危険な状態です。病気をそれと感じない人がもし居たら、同じように危険極まりないことです。事態は悪い方へ悪い方へと進んでゆくからです。

病気になる、という言い方をよくします。なる、は生る、成る、為るなどの漢字があてられていて、あるものが完成された姿を現すことをいいます。無から有が生じる、別の状態に変わる、行為の結果できあがるなどを意味します。健康という無（という状態）から病気という有（という状態）が生じる、健康という状態から病気という状態に変わる、悪しき生活習慣の結果、生活習慣病が出来上がる。

病気はどんなに局所的に見えても基本的には全身に影響が及びます。最近では虫歯、歯周病は全身性疾患であることを強調する記事をよく目にします。病気は、人の全体の状態をいうのか一部分、たとえば胃腸あるいは腎臓、だけの状態か否か、じつは議論の多いところです。

病気とは、一部分の不調と考えられていますが、ふつう考えるほど単純ではありません。まとめると次のようになります。病気は人間という生き物の一部分での出来事のように見えても、実は全体の中に在り、また病気とは人間全体のできごとです。全体が病んでいて、特に悪い部分（胃腸あるいは腎臓）にとりあえず病気としての症状が現れるが、その場合でも形態的な異常のない部分も何らかの意味で侵されています。外的な状況はきっかけであり真の原因ではない。純粋に胃だけが侵されることはあり（得）ません。また、部分の異常が全身に影響を及ぼします。全体の不調を代表して何処か一部たとえば胃に現れるという考え方もあります。もちろん全身がおかしいという状態は、すべての病気の末期のように、あり得ます。あの人は胃癌になったとは、かれのすべてが胃癌であるという意味ではありませんが、胃癌の末期には全身が癌といってもおかしくはありません。

最近の新型コロナ感染症や昔の結核に見るように、病気は個人を超えた社会的現象でもあります。

癒すのは病める部分とその人の精神も含めた全体をそして社会を元に戻すことです。肉体のある部分が病むとともにその個人の総体も社会も病むからです。

病気によっては身体全体が明らかに侵され、その中で特に具合の悪い部分が目立つこともあります。内分泌疾患や代謝異常、たとえば糖尿病では全身の血管が侵されますが脳（脳梗塞）、心臓（心筋梗塞）、腎臓（腎不全）などの血管障害（合併症）がとくに目立つことがあります。癌のように最初は局所の異常として始まるものの、だんだん全身に広がってゆくものもあり、病気全体としてみると違いは単なる時間差にすぎません。

生物にとって病気は全体にとってのみ存在する、病気は存在するが胃に限局した病気というものは理論上ありません。医学が進歩するとどこまでも細かくなってゆき、全体を見る視点、全体と部分のかかわりを見る視点が薄れてゆきがちで、局所のことは局所だけの問題となってゆきがちです。「真理とは全体である」。円と直線（平面と球面）は対立の極ともいえるが、円の直径が大きくなるにつれて、円周の曲率は小さくなり無限大の世界では直線に近づく。球も地球規模の大きさになると見渡す限り平面である。このことを例に15世紀の神学者クザーヌスは「反対対立の合致」を唱えました。健康と不健康もそのたぐいであろう。人間の認識能力においては対立するように見えるものであっても無限すなわち神の眼からは一致する。正があればそれに対する反が必ずあり、対立を越えたところに統一、新しい現実が得られる（ヘーゲルの弁証法）。

他の何ものともおなじように、生物においてもたえまなく変化する部分と、いかなる場合にも全く変化しないもの「それがあるからはそれはそれだ」と言えるものとが在ります。変化するのが病気になる部分であり、変わらないのが命です。変わらない命が在るから人間は生きている、と言ったらトートロジーに聞こえるでしょうが、いのちが限りなく薄く成っても生きている人がいるのです。

病気を説明するのに古来二つの考え方があります。機能的理論と存在論的理論。機能的理論は有機体・生体の均衡と調和の乱れが病気を生むという考えです。病気はいつも一つの総体です。病気を生みだすもの（病因）は生命の通常の諸々のバネに精緻な仕方で触れるので、それらのバネの応答は逸脱した生理学の性質をもつというよりも、新しい生理学の性質をもたらすほどです。病気は原因（病因）と生体・有機体の相互作用に基づくものです。原因は外部環境か内部環境あるいは両者の複合にあります。外部に原因がある場合たとえば細菌感染は、原因を取り除くすなわち環境改良か、抗生物質で菌を殺すことによって治すことができます。

内あるいは内外両者に因がある場合、事はそう簡単ではありません。内部環境の一部と考えられている「気」の病であるとみなされる病気は中国で作られた言葉ですが、気には古代中国人の深い叡知が感じられます。

病気は内部のせめぎあう力同士の戦いである。自然は人間の内部においても外部においても調和しかつ均衡しているものであるが、それが乱れると病気につながるというものです。この考えの基本は、病気は人間という生き物の一部分での出来事のように見えても、実は全体の中に在り、また病気とは人間全体のできごとである。外的な状況はきっかけであり真の原因ではない。病気は、新しい均衡を獲得するために生体内部での努力、回復のために全身に広がる反応である。ヒポクラテスに代表される古代ギリシャにみられる考え方です。

もうひとつは、病気は外から何かが人間を襲うものであるという存在論的理論。ここでは人間という有機体と外部の戦いということになります。病原微生物の体内侵入によっておこる感染症で代表されるように分かりやすい考え方です。しかし、感染症が同じような条件下でも、罹る人と罹らない人があるように、ことはそう単純なものではありません。病原菌の侵入を許す者と許さない者の問題に移せば事は単純ではなくなってきます。気が衰えたところへ病気という名の何かが取り付く。われわれの生活空間には多くの病原菌や毒などの有害物質が満ち満ちていて、同じ条件下にあってもある人Aは病気になり別のある人Bは病気にならないということはよくあります。病気になる人はそのとき身体が弱っていた、気が病んでいた自分のコントロールがうまくできていないということに、結果的になります。別のある時には、Aは病気にならず逆にBが病気になるということも十分あり得ます。もちろん現実はそのように単純なものではありませんが、分かりやすく言えばそうなります。

機能・存在両説のどちらか一方が正しくて他は間違っているとはならずに、真は両者の間のどこかでもなく、両者を包括したもっと広い立場に立って考えなければならないと思います。正常な生命現象と病理的な生命現象とは外観上非常に異なっていますが、実際は同じものの程度・強度の差にすぎないというのが前者・機能的理論でした。病気は大きく急性と慢性疾患に分けることができますが、本書では病気は特に断らない限り、時間をかけて育ち、長いあいだ人間を悩ます生活習慣病に代表される慢性疾患について検討します。慢性疾患は病者である人間と病気の関係をよく反映すると考えるからです。

生物というものがある限り病気もまたあります。生きるということはその裏に病気と死が控えているということです。科学一般や医学が進歩して多くの病気は制御可能になってきています。例えばここ数十年のうちに大部分の癌は、発見が早ければ、治せるようになってきました。

病気になると、わたしたちはすぐに自分の病気が独特なものではないかという不安を抱きがちです。不安になるのは、病気は正体不明の脅威であり自分の存在の独自性を信じているわたしたちの存在そのものを脅かす可能性を秘めている、というわけです。しかし、医者によって病気に名前（病名）を与えてもらうと、何となく落ち着くものです。なぜなら病名を授かることによってその病気は得体のしれない恐るべきものから、普通のものに格下げになります。患者にとって病気は目に見えるもの、戦う相手となるからです、たとえ負けるにしても。

全てのできごとは運動として捉えることができます。病気は自然界におけるできごとなので、とうぜん運動です。すべての運動には始源があり、病気は健康から病気に至る一連の運動です。健康も病気も運動で、この二つは人体の状態という線分の両端に位置します。人体はある時は健康に向かい、ある時は病気に向かい運動していて、それらの運動が極まったときが健康であったり病気であったりするのです。通常はその両端の中間のどこかに位置することになり、完全な健康というものはなく、完全な病気も死以外にはありません。病気とは健康に抱えられたもので、それだからこそ回復もあるのです。

病気の反対語は、しいて挙げれば健康でしょうが、健康の反対は病気ではなく不健康で、不健康は必ずしも病気ではありません。

病気とは健康でないという消極的な概念ではなく、身体の特定のどこかあるいは全体がおかしい、不調であるという積極的な表現です。病気は健康や死とおなじように生命の中に在る、生命の表現型の一部です。生きているものはいつでも病気や死が可能な状態のなかに在ります。そうでなければ生きているとはいえません。生命は病気も死をも含みます。一方だけでは在るはいえません。

なにをもって病気といえるか、病気の範囲、は人によって違います。病気の定義が、単なる存在概念ではなく規範概念でもあるからです。とりあえず症状があって、その原因となる身体所見があり、（適切な治療によって）軽快すれば病気であるあるいは病気であったと判断されます。しかし必ずしもそういう経過をたどるのではなく、訳も分からず経過することや、気づかれずに経過することなどもあります。動ければ病気でないと考える人や、微熱があれば病気だと考える人など様々です。

かつては、病原菌など外からくるあるいは環境悪化や栄養不足などの原因によって多くの病気は起こりましたが、抗生物質や環境衛生の整備によって、これらに対処することはおおむね可能になってきました。それに対して、寿命が延びた最近の病気は、飲食や呼吸といった日々の暮らしが体に与える影響の積み重ね、いわゆる生活習慣という業と遺伝子の働きの結果によると思えるものが多いようです。同じ生活をしても人によって病気になったりならなかったりするのは地力（生まれながらに持っている力）に差異があるからです。

人、もちろんすべての生物も、変転極まりない環境（とくに大気、飲食物）との対応にさらされています。病気は、その過程において生体に起こるできごとです。病気とは、環境の乱れを許容する巾が減少していることです。生命あるものの特徴は変わるというところにあるので、病気は生きていることに必然する現象です。前述のように病気は喪失であると同時に改造でもあります。こういってよいかと思います、病理的なものは一種の正常、ある条件における正常、なのだから病的な状態も一つの生き方であると。

附）「正常という病」：数が多い方が正常で、少ない方が異常であるという考え方があります。

正常とは必ずしも論理的・道徳的に正しいという訳にはいきません。肉体的、精神的に正常であっても異常と見なされることはあり得ます。決めるのは自分でなく他者だからです。

正常病という場合、1．正常でなければならないという強迫観念に追いまくられている状態。2．正常なのに病気にされてしまう、たとえば基準値いかんで高血圧患者になったりならなかったり。肥満であったりなかったり。肥満は魔女狩りに狩られる言葉か。「太っているあなたは正常ではありません。やせましょう。太った人は自分の体重すらコントロールできない、ものの役に立たない人種です。この国が必要とする人ではありません」。世の中に正常と異常しかないとなると、不都合きわまりありません。中間にどちらでもないいわば灰色地帯というものを設けなければどんな分野でも旨くはゆかないものです。太っているけれども可愛い女は沢山いる。痩せて力のない男も沢山いる。

2．進化と病気

ひとはなぜ病気になる、病気は何故あるのだろうか。もし神様が人を造ったなら、病気にならないように造っても良かったのではないか。進化の結果現在のような人類ができあがったのなら、病気にならないように進化してもよかったのではないでしょうか。あるいはいずれそうなるのでしょうか。誰もが病気はあるのが当たり前のことと思っているから、なぜ病気があるかなどあまり考えない。だが考える人たちがいたから医学は進歩しました。病気にならない方向の進化がもしあるとしたら、それは身体構造が極端に簡素になるという方向への進化で、そうなったら異常はそのままで死。

病気も医学も、社会全体にもっとも密接に結びついたものであり、時代特有の病気があり思想・文化の変化にともなって医学の考え方、とりもなおさず病気に対する考え方も変化します。江戸時代には江戸時代の病気があり業病という言葉があったように特有の疾病観があり、明治には明治の、令和には令和の、古代ギリシャには古代ギリシャの、中世ヨーロッパには中世ヨーロッパの病気観と医学があります。病気をどのように捉えるかはその時代の文化を表すといえます。

病気は時代の鑑で、ある時代を反映する、他の時代と比べてとりわけ多い病気があり、それにはその時代をバックとした原因があります。そういった病気をよく調べれば、その時代が分かるといわれます。時代を象徴する病気には、明治期から戦前・戦後にかけての結核、現代の癌、認知症などがあります。統合失調症は20世紀初頭（１９０６年）から文献に現れて近年増加傾向が著しくなっています。

生物は固定したものではなく変化し続けていて、たまたま与えられた環境に適したものが生き残り、適者生存説といわれます。ダーウィン進化論の根本思想は「生物界が今あるようであるのは、自然科学の法則に従ってなるようになっている。決して、超自然的な誰か（すなわち神）の意思、なにか一貫した目的、があってのことではない」。また「必ずしも強いもの賢いものが生き残るとは限らず、（環境変化に応じて）変わりうるものだけが生き残る」。

生物はなぜ進化を続けるのでしょうか。環境は変わるものであり、変わった環境の中で生きられるもの、あるいはより上手に生きられるものが残ります。進化に目標・目指す方向というものがない以上、各生物は何も考えずに、その日その日を生きぬいてゆけばよいことになります。下手に考えたりすると却って悪くなる。

進化は環境という偶然に左右され、恒に良い方向へ進んでいるのではなく、生命は長期にわたる斬進的な進化（小進化）が長く続くが、それが短期間に爆発的な進化（大進化）によって破られる（進化の断続平衡説）、というのが最近の考え方です。大進化の代表が5億年前の「カンブリア紀の爆発」で、わずか５０００万年の間にすべての動物門において身体を覆う殻、鎧（皮膚も含む）が突如見られるようになりました。自分より強いものが出現して餌にされない限り、その場でニコニコしていれば済むことで、なにも進化する必要はないことになります。ただ、眼の出現、より有利な動物の出現が事態を一変させ、食われないように生物は進化を続けざるをえないということになってしまいました。断っておきますが、眼を持つ、食われないように進化したということは偶々そのような構造を持つにいたった生物が出現して生き残ったということで、努力して意図的に目を持つようになった、ということではありません。

眼の出現は自然界に驚くべき変化をもたらしました。眼があれば食物となる動植物を見つけ食べるのは容易であるし、敵から逃げるのも眼のないのに比べれば容易なことです。動物は「食う・食われる」世界にいるが、眼があれば捕食にも逃げるにも圧倒的に有利です。眼が備わるとともに動物たちは猛然と互いを追いかけあい食べあいを始めたのではないでしょうか。そういう状況に適応するため動物は防備を固めざるを得なくなり、たまたま鎧としての殻をもつように変化したものが有利になり増えました。視覚の出現に伴う食と被食が5億年前のカンブリア紀爆発的進化（生物が種類数、個体数ともに爆発的に増え、多様な適応戦略をみせた）の実態でした。手を持つ生物（人間）の出現も同じでしょう。

ものごとには目に見える直近の（表面的）原因と見えない奥深い真の原因とがあります。転ぶのは、物に躓くという直近の原因と二本足で立って歩くという根本的な原因とがあります。死ぬのは病気が直近で、生きていることが真の原因。

人体構造は変わりにくく、生活や環境は短期間に変わりえます。何十万年も前にできあがった人間の身体の構造（現在でも基本的には同じ）と、最近生じた生活・環境面の変化（石器時代とすら甚だしく違っている）との間の著しいギャップに病気の奥深い原因を求めることができます。現代人の身体は石器時代の人と基本的に同じです。当時は一日中動き回って狩猟採集によってかろうじて栄養分を確保できていたにすぎません。その後人類は道具を使うことと農耕牧畜によって、周囲の環境を急激に変え、さほど労せずに好きなものを好きなだけ食べることができるようになりました。古いままの身体と変わってしまった環境の間の差は著しく、この差（ミスマッチ）が様々な現代病を生み出しています。ざっと挙げただけでも腰痛、転倒・骨折、肥満、糖尿病、高血圧、癌、認知症そしてうつ病もひょっとしてそうではないでしょうか。

人間という動物がどのような経過（進化）を経てできあがり、遺伝子がどのようにそれに対応できているか、できていないかを考えることによって病気の秘密が分かってきます。人間の身体は誰かが熟慮して考え出した設計図に基づいてできたものではなく、自然淘汰を繰り返して、場当たり的にできたものといわれています。当然、身体のすべてが現代人の生活に対応できるようにはできている訳ではありません。現代の生活に身体がマッチ・合致するにはおそらく何万年もかかることでしょう。そのころ人類がまだいるかどうかは全く分かりませんが、恐らくいないでしょう。古いまま現代に至っている身体は新しい環境と妥協を繰り返しながら機能しているが、そこには当然無理がありいろいろな病気につながるのは予想される処です。

足や消化管、脳といったそれぞれの器官は負荷を与え続ける、使っていないと弱ってくるもので、極端な場合を廃用萎縮といいます。歩かないでいると歩けなくなります。野生動物は生きていること自体が身体への負荷となりますが、人間は負荷がなくでも、歩いたり考えたりしなくてもとりあえず生きることは可能ですが、歩かないとやがて立てなくなり、頭を使わないと考えられなくなります。認知症は生活習慣病だから身体や頭を精一杯使って生きてゆかない人がなりやすい病気です。人間の身体を畑にたとえると、認知症は耕作放棄地のように耕さないで畑が荒れ果てた状態と私は考えます。丁寧に耕し続けられた畑と放置された畑の差が病気となって表れます。アルツハイマー病は脳の中でずっと最近になって進化した部位の異常で、獣などはもちろん猿などの他の霊長類にも起こらない、という説があります。

食物が少なかった時（縄文時代、狩猟採取時代以前）に、人類の先祖たちはせっせと栄養を脂肪にして溜め込む、というのが飢饉などの食糧不足のときに生き延びる術でした。それが楽に高栄養を得ることができる時代になるとその遺伝子は逆の働きになる、すなわち必要以上に内臓脂肪がたまる方向に遺伝子が働いてしまうというのがメタボ。糖尿病は血中からグルコースを運ぶ作業にインスリン産生臓器である膵臓が草臥れてしまって起こる病気。日本人はもともとインスリン産出能が低かったのに、高カロリー時代にそれが逆効果的に働いて糖尿病になりやすくなりました。なにごとも因があって果があるもので、因抜きの果というものはありません。因果は巡る車の輪です。

寿命が延びること、人口が増えることが進化かどうかは分かりませんが、とにかく世界中で人口が増え寿命が延びています。そのけっか増えた病気減った病気があります。増えた代表が生活習慣病なかんずく糖尿病、癌、認知症です。

同じ生活習慣であっても発病する者とそうでない者があるのは遺伝因子の違いに依ります。生活習慣病は長い時間をかけて出来上がって行くものですから、簡単には治らない、いやむしろ治らないというべきと思います。糖尿病や高血圧は医者の助けのもと、自分でうまく付き合っていくしかないものです。自分の生活を見直し悪いところ、とくに生活の基本である食と運動、を修正し、薬に頼るのは最後の手段です。

人は例外なく死にます。ただ認知症を経て死ぬか経ずに死ぬかの違いがあります。死は生が尽きて来るものですが、脳細胞の生が他臓器のそれより早く尽きるのが認知症ですから、認知症はある種の人々にとっては避けがたいものと思います。死を遅らせることができるように認知症も遅らせることはできますが、どちらもいずれは避けがたいことと思います。癌も生きたことの結果ですが、社会医学と臨床医学の進歩によって治すことが可能になりました。認知症にもそのようなことを期待することはできますが、今のところ燭光すら見えていません。人は癌で死ぬか認知症で死ぬかあるいは天寿で死ぬかの違いはありますが死ぬことに変わりはありません。生活習慣病の各論は省略します。

3. 病気の効用

病気がなぜあるか。在ったもの（ここでは健康）が無くなる、と困るのはどの世界でも同じことです。いろんなことをとなえる人が居て、病気があって人が苦しんだり死んだりするのは社会に活気を与えるから悪いことではない、結核で若い有能な人が惜しまれながら死んだ時代は緊張にみちた時代だった、という説まであります。とにかく世の中が生き生きと動いていなければ、そこに生きる意味はありません。病気がない、あるいはすべての病気が治ると人は老衰か認知症（これも立派な病気ですが）で死んでゆくしかなくなります。

もし病気がないとなるとどんな不都合があるのでしょうか。病気の効用という言葉もあり、必要があってなる病気すらあります。病気がないと医者や看護師がこまるとか、仮病のことではありません。仮病とは病気でないのに病気のふりをして嫌なことから逃れる、学校や会社をさぼる、責任を取らない。必要があってなる病気とは、病気になる事で身体の中に溜ったものを吐き出す、たとえば下痢によって腸内が、咳によって気道内がきれいになる、そんな病気のことです。野口晴哉さんの『風邪の効用』を繙いてください。

近代医学の祖の一人ともいうべきクロード・ベルナールは、病理現象とそれに対応する生理現象は実際には同一性と連続性をもったもので、両者は根底において同じものであると言っています。生理学が述べている以上に、はるかに多くの生理的可能性、余力がわれわれのなかにあります。しかし、それが分かるためには病気というものが必要になります。病気は健康の次元での一つの変異ではなく、病気は新しい生命の次元ととらえるべきです。台風が来て風の意味が分かるようなものです。正常な人間の研究だけで人間の正常な生命についての完全な知識が得られるものではありません。病理学の基礎であることからは程遠い生理学は、しかし反対に病理学からしか生まれようはなかったといえます。すなわち、器官の病気が器官に対して引き起こす変化によって器官の重要性を知ることができます。病理的事実は、生活全体のレベルでのみ病理的事実として把握されるものです。病気はその病人の経済状態まで反映するものです。医学は広い意味の生きる技術といってよいと思います。

地球はデコボコだらけな歪んだ塊だけれども表面が平坦な球と考えることは可能ですし、平坦であると考えた方がいろいろなことを理解しやすく便利です。地球儀は表面平滑ですが、あのサイズで凹凸を表すことは不可能です。生きものも病気という表面的デコボコを持った球ですが、生きているということを元に考えれば、基本的には平滑・健康です。健康があるから病気が分り、病気があるから健康が分ります。一方が他方を支えていると言ったら言い過ぎかもしれませんが、まあそんなものです。

病気とは人間を試すもの、ということができます。それまでどのように生きてきたかが病気というリトマス試験紙によって明らかになります。また、病気は人間を変えるものでもあります。病気を経験し耐えることによって強靭になることはよく聞くところです。

車を運転していて、踏切で遮断機が下りると先を急ぐ身には忌々しく感じられるが、止まらないと列車にぶつかってしまいます。ちょっと遅れるくらいのことは怪我や死に比べれば取るに足りません。同じように、死に至らない程度の病気はいったん立ち止まって来し方行く末を考える良い機会であると、病気という不運を嘆くばかりでなくポジティブに考える良い機会です。人生の遮断機が下りたと発病とともに立ち止まる。

病気に限らず、ときに具合が悪くなることは、もっと大きな不具合に気付かせるきっかけになります。身体は微妙なバランスの上に立っています。問題なく働いていると考える方がむしろおかしい。将棋の大山名人は「あなたほどの方でも長考されることがありますが、どういう時ですか」と聞かれ「それはあなた、上手くいきすぎている時ですよ。そんな筈はないとよく考えるのです」。山などでも危険な所では事故は想像されるほど多くはない。快調に歩いているとき、詰まらないところで事故に遭いやすいものです（徒然草１０９段）。一病息災とは、命にかかわらないけれども軽くもない持病たとえば糖尿病の一つくらいあった方が健康に留意するので、無病の人より却って長生きだったりすることを言います。

心のなかに穴が開き、そこから隙間風が吹き込んでくることがあります。たとえば病気という穴、失意という穴。穴は閉じなくてはならないが、閉じ急いではもったいない。その穴から見えるものを閉じる前によく見ると、健康なとき、見えなかったものが見えてきます。そこで見えたものをしっかり心に刻み込むことができれば、大きな財産になります。逆に見なかったことにしてしまうと、ただ苦しかった、で終わってしまいます。

病気がなければ人間はだんだん弱って死んでゆく（老衰）しかなく、下手をしたら死なないかもしれません。病気は人間生活に緊張を与え進歩を促すものです。もちろん進歩などなんの意味もないという考えはあり、訳もなく生まれ育ち死んでゆくのも悪くはありませんが、それはまあ置いておくことにしましょう。生きものはいずれ死ぬので、病気というストレスを与えて、それと対決することを通じて人間が種類分けされ、活気ある社会ができるようにとの願いがこの世の創造者にはあったのかもしれません。死をゴールとしていかに生きてゆくかが人間を決めるものです。プラトンは生きることは死の練習をしていることだといっています。

人間は年を重ねるほど、活きれば生きるほど生きる苦闘を積み重ねるゆえに身体的には不幸に、成熟に向かう歩みのゆえに精神的には幸福に、なる生物と言えます。生活習慣病である癌になった自分を反省する。いくら年をとっても子供のままであった人が、癌になって癌を見据えることによって大人になる。そのことを「癌、我をわれならしむ」といいます。生活習慣は必ずしも飲食といったものとは限りません。治るとは、新しい生命規範を、時には以前より高次の生命規範を得ることと言えます。病気から回復するということは、それが大病であればあるほど違った人間となって回復するもので、病気の効用、禍をもって福となすと言われます。しかし、それは効用などといった安っぽい言葉でいうことでは本当はなく、賜物ともいうべきもので、病気との対決の本気度と関係すると思います。人生の課題とは「日々新た」になることですが、身体の構成は食物のおかげで変わりますが、日々新とは本当は頭・精神のことで、病気を体験した人はなんらかの意味で新しい別の人間になって回復しているはずです。それに気づく人も気づかない人もあります。

定義にあるような完全な病人はどこを探してもいないに決まっています。ご安心ください。不健康で当たり前なのです。誰でも探せば何処かにおかしいところはあるに決まっています。不健康で当たり前と高をくくればよいのですが、疲れやすいのを心配になって病院へ行けば「待ってました」とお医者様が病気を見つけて病人にして薬をくださいます。

病気を犯罪と見なすやや突飛な見方があります。それは単に犯罪が人間の矯正しがたい、遺憾ではあるが不可避な現象であるというだけではなく、犯罪は公共の健康の一要因、健康な社会の不可欠な部分、クッション、であるという考えです。「犯罪を免れている社会などあり得ないがゆえに、犯罪のない社会はおかしい、正常とはいえないものである」。この社会学の考え方を医学に当てはめると、病気は健康があるからある（病気は健康のヴァリエーション）というだけではなく「病気は健康な人間の不可欠な一部分」ということになりますが、病気をそのもっとも極端な形である死に置き換えて、死は健康な人間の一部分（必然の結果）とすればいくらかは分かってもらえると思います。病気があるから人間は基本的に健康でありうる。死というゴールがあるから人間は生きられる。必ずしも一病息災ということではありません。

4．病人

「耐えねばならぬ。生まれ落ちたとき、わたしは泣いた。この世の空気を初めて嗅いで、泣き喚いたではないか（『リア王』4幕6場）」。耐えねばならぬは「You must be patient」で、patientは形容詞では忍耐力ある、我慢強いですが、面白いことに名詞では病人です。病人とは英語では耐える人ということになります。

身体のどこかにあるいは全体に不具合のある人を病人といいます。最初は一部でも遠からず全体に及びます。辞書的には、病人とは病気にかかっている人とありますが、そんな単純なものではありません。人は病名を頂くと病人になります。癌は放置すれば重大な結果をもたらしますが、もっと軽いたとえば風邪の場合、その人は病人でしょうか。苦しくなく仕事も普通にこなせれば少なくも本人は病人とは思わないでしょう。治療も受けないでしょう。病人か否かはかなり主観的なことです。不具合は客観的なことも主観的なこともあり、両者そろったとき病人といいますが、前者だけでは微小癌の場合のように必ずしも病人とは言えないし、後者だけのときはどう呼んでよいかわかりません。

「病気はない、ただ病人がいるだけ」は、経験を積んだある種の臨床医がたどり着くところですが、病気の気を次のようにとらえれば納得のゆくところです。病気への道の始まりは気の衰え。現代風に言えば免疫力の低下です。病気はその字に見るように「気が病む」ことです。気をどのように解釈するかによって病気の見方も変わってきます。気とは宇宙の始源から発している生命の源のことで、それが生物体内に生きて働いている気、生命の原動力となる勢いと考えることができます。気を通じてわれわれは宇宙の中心に直結しています。気力が衰えると、それが病気として発現します。病は気からといわれるときの気は気の持ちようですが、ここでいう気とは宇宙規模のもっと気宇壮大なものをいいます。すべての宗教ないし宗教的なものは宇宙を直観することから始まります。宗教的な宇宙とは神のことです。

病人は、病に侵されている人のことですが、病気との付き合い方は人さまざまで、その病と闘っている人、無視している人、逃げ回っている人など。戦う人も自分ひとりで戦っている人、他人とくに医者の助けを借りて戦っている人がいますが、戦ったからといって必ず勝てるといったものでないことはみなが日常的に経験するところです。戦うとくに強敵と戦うときには孫子の言う如く、「敵を知り己を知る」必要があります。病気になる人の内には、自分で勝手に病気になり勝手に悪くなっている人があります。不眠症が病気であるか否か、悩んでいる人が病人であるか否かは別にして、参考になるので例にしますが、眠れないと言って悩んでいる人の多くは眠らないといけないという不必要な思い(強迫観念)に陥っていることが多いようです。いずれ眠くなって眠ると確信できる人は不眠症にはなりません。本当に眠くなったら立っていても歩いていても眠ってしまうものです。明日早く起きなければならないといったとき不眠に陥ることが誰にでもありますが、それは病気ではなく弱い心（これも病気ではありますが）のなせる業です。

病気との付き合い方自体がその人のその後の人生を左右します。最近は癌との対処次第が云々されることがロスの発表いらい多いのですが、病気と人生ということに関してはすべての病気が、その軽重に関係なく、該当します。病気は生物学的には同じものであるが、その同じ病気が犠牲者（患者、病人）にとっては必ずしも同じものとは言えません。たとえば癌にかかって狼狽えない者が在れば他方身も世もないほど嘆き悲しむ者も。多くの癌は重篤な病気であるが、それほどでもない病気でも事情は大同小異、すなわち病気は科学的、社会的、個人的に定義される。病気とは生命あるものに独特の状態です。石は割れても病気ではありません、なりたくてもなれません。

世の中には病人と健康人とそのどちらでもない人がいます。どちらでもないグループが圧倒的に多いのは、病人も健康人も、とくに後者は、その定義がはっきりしないからです。健康な人も、なんとなく自分も病人になってみたいなどと贅沢なことを思うことがあります。

5. 病気と健康

どこから見ても丈夫、健康そのものに見えていても、「いやぁー、どうも胃腸の調子が悪くてねぇー」などと言ってニコニコしている人がある。「小生晩春よりかけて元気之無候」とある斎藤茂吉からの葉書を示しつつ某氏が「私がもらった50通近い茂吉の書簡や葉書の中に、元気が良いという意味の文句があるのは一つもない。たいていの病人は「よさそうですね」と言われるより「お悪そうですな」と言われる方が機嫌がよい。永井荷風も日記にしょっちゅう具合が悪いと記している。二人とも健康そうな風貌で長寿であったのに。健康すぎると運命の女神の嫉みを買うかもしれない、という思いがあるようです。また病院へ行って、どこも悪くないですよと言われると機嫌を損ねて他院を訪れる人も少なくない。自分の駄目さを見せて他の嫉妬を買わないようにしている気配がある。

日本人には胃病、頭痛、肩こり、胃弱などと称して悦に入っている人が少なくない。「日本人にとっては、病気は一途に排除すべきものではなく、健康と病気をはっきり切り離さず、病という弱点をも囲い込みながら生きてゆくという面がある（大貫恵美子『日本人の病気観』）」。

健康であることに劣らず病気であることも人間にとって自然といってよいと思う、それほど病気とはありふれたこと、両者の境界は不明瞭で、健康と病気は同じ土俵上で取っ組み合いをしていて、勝ったり負けたりするものです。自然ということの内には、病気も異質なものではなく単なる逸脱として捉えるべきものかもしれません。

病気と健康の関係をいうのに、ここでも癌がよいと思います。癌は。一個の変異細胞に始まり、それが分裂を繰り返し大きくなってゆきます。細胞一個のときはもちろん万個億個に増えても目には見えないし症状も不具合もありません。臓器によっても差がありますが、直径1～3㎝のサイズに育って初めて病気としての癌となり得ます。その時その所有者は病人といってもよいし、なんの症状もなければ依然として非病人ですが健常者とも言えますまい。何かに名前を付けるということは、その物の存在に気付いたということです。癌という名前が付くということは、癌があってそれが発見されたということです。なんらかのきっかけで病院を訪れ検査して癌という病名を授与されてはじめて病気と病人誕生です。それまでは病人でなかったでしょうか。病名はその患者を支配する力も持っています。事実よりも、それを取り巻くもろもろの事態の方が重視され、よく言われるように、死よりもそれに対する思いの方がおそろしい。

「癌イコール死」の時代では、多くの人の死亡原因は、自分の病気を知ること、癌人（癌という思いに時間空間を支配される人）になることでした。「諸国大名は弓矢で殺す、紅屋の娘は目で殺す」。この世において殺すものは多いが、癌は名前で殺しました。頭の中が対癌恐怖に占められて、癌を中心に世の中が廻ってしまっている人を癌人（癌に乗っ取られた人、癌に自分を差し出した人）、その人の発言を癌語といいます。癌になっても癌人にはなるな。癌が有るけれどもそれによって右往左往しない人は癌人ではありません。癌を死病と思った途端に癌はそのように振舞います。癌人になってしまえば気持ちは萎え、やすやすと病の餌食になってしまいます。

癌になったら、それを見据えることによって自分の人生を考え直していく、自分の生をまともなものに変えて行くきっかけに為しえます。鉄を金に変える錬金術。残された期間がどんなに短くても、癌になった自分のことを考えるには十分な時間です。「寒暑到来　如何廻避（『碧巌録』43則）」。癌（寒暑）がやって来たらどうすればよいでしょうかと弟子に問われた先生が、徹底的に向き合え、逃げると捕まると答えました。逃げると癌は癌のまま。徹底的に向き合うところに、癌はわれわれの本当の姿、本来の自己を見せてくれます。死を眼の前にして始めて真実が見えてくる。

一般的にいって、入院して点滴を受け、頭の上のボトルから半透明の液体が身体の中へ入ってゆくのを見るともなく見ているうちに「病人なのだ」という気になってしまう。世の中には病人と非病人しかいません。誰もが非病人の方に居たく思います。だが、健康な人も、なんとなく自分も病気になってみたいなどと贅沢なことを思うことがあります。健康だと絶えず勉強や仕事に追いまくられて、心が休まる時がないように感じるものです。普段はなにかを一生懸命やっているつもりでいても達成感がないと悩むのだが、病気で寝ているから達成感がないのは当然で、なくても平気。子供の頃の病気は少なからぬ人が良い時代だった、楽園だったとの思いで思い出します。病気になると周りから大事にされる、美味しいものを食べさせてもらえる、もちろん勉強はしなくてよい。

生きるとは、外（世間）へ打って出ることである。出て行っても倒されては意味がない、出ても倒されないのが善く生きることである。ところが病気になると、あなたが寝ていても誰も非難しませんよ、安んじて寝ていなさいという有難い環境に置かれます。誰も病人を倒すような不人情なことはしない。それどころか病人にはなんでも他人がやってくれる。癌の末期などでは敵までが優しい顔をして見舞いに来てくれる。ひねくれた人は「ざまあ見ろ」と顔を見に来ているに過ぎないと妄想するかもしれないが、そんな考えだから病気になる。善意は善意のままに受け取らないとならない。

病気で寝ていると最初のうちは焦りのようなものがあり妄想に悩まされたりもするが、慣れてくるとだんだん一生このまま寝ていたい、苦しくさえなければ死んでしまっても悔いはない、という気になるから不思議である。萩原朔太郎が随筆（『病床生活からの一発見』）に書いているように、「お前は病気だ。肉体の非常危機に際している。なによりも治療が第一。他は考える必要はない」というモラトリアムである。そのあげくに、寝たきりの子規が、たとえば「藤の花が畳に届かない」などといった身の回りの平凡きわまりない事項をこれまた平凡に詠んだ短歌、俳句などがいかに優れたもの、人に感動を与えるかが朔太郎には分かるようになったといっています。病人になると、寝ていて天井に止まっている蠅を1時間も2時間も見ていてもあきないというのだから、退屈もその境地に安住すれば快楽となる。モラトリアムに甘えてばかりでは実はいけないのです。二度とはないチャンスと捉えて来し方行く末をよく考える時です。そこに詩が生まれ哲学が生まれます。

6. 医者

・自動車修理工と医者とでは、それぞれの分野で具合の悪いところを直すと言うことに関しては修理工の方がはるかに頼りになる。だがまさにそのために、修理工の技術は高く評価されない

（コリンズ『脱常識の社会学』）

医者は病気とその治療が患者の人生に対して持つ意味に対して無頓着であるという非難はよく浴びせられます。『宝島』で知られる作家スティーブンスンは結核に悩みサモア島で療養しました。

「医者というものをスティーブンスンは信用しなかった。医者はただ、一時的の苦痛を鎮めてくれるだけだ。患者の肉体的な故障を見出しはするが、それと患者の精神生活との関連とか彼の一生の大計算の中において、どの程度の重要さに見積もられるべきかについては、何事も知らぬのである（中島敦『光と風と夢』）」。

むかし、鬼手仏心という言葉が、ある種の医者に用いられました。抜群の技量（鬼手）。を持つとともに患者を救おうという仏様のような気持ちで患者に接した医者のことです。医学が進歩すれば、どんな医者でもマニュアル通りにやればやれるような時代が来ています。そういう時代にこそ人間を総体的に見ることができる医者が求められるようになると思います。医者は、この病人は治りたがっているかそうでないか分からなければいけない。それが無意識であっても、治りたくない人は治療が奏功的ではないことがある。もちろん治りたい、治りたくない両方とも医者は直さなくてはなりません。治りたくない病人も治りたい気持ちにするのも医者の大きな仕事です。

医者は「自分自身の医者になってはならない」を自戒とします。いろいろな現象を自分に都合がよいように解釈しがちだからです。たとえば血便があった場合、患者には大腸癌の可能性があるから検査するようにといいますが、自分や家族の時には自分には痔があるからそのせいだろうと苦しい検査を回避しがちで、結果として大腸癌を見逃してしまことがあります。あるいは家族や親しい人の治療とくに手術において失敗することが平均値以上であることも意味します。しかし、一般的に「各人が自分自身の医者になることができる」ともいいます。自分の体や健康状態をよく知っている人は医者でなくとも医者の助言のもと自分自身の回復に向かわせることができる、という意味です。生物学の祖とされるアリストテレスは、自然と生命を「技法中の技法（熟慮を伴わない技法）」として考えていました。それは生きた有機体の目的である健康の観念を自分自身に適用することによって健康は回復されるという自然主義療法です。自然主義療法は医学の祖ヒポクラテスの考え方でもありました。ちなみにアリストテレスは、生きた物体は霊魂を吹き込まれた有機構成された物体、霊魂を持つが故に有機構成されていると考えていました。霊魂とは、生気論において生命の非物質的原理とされるものです。

医は仁術なり。仁愛の心を本とし、人を救うを以て志とすべし。わが身の利害を専らに志すべからず。天地の生み育て給える人をすくい助け、万民の生死をつかさどる術なればきわめて大事な職務なり。他の術は拙なしといえども、人の生命には害なし。医術の良拙は人の命の生死にかかれり。学問にさとき才性ある人をえらんで医とすべし。医を学ぶ者、もし生まれつき鈍にして、其才なければ、はやくやめて医となるべからず（貝原益軒『養生訓』）

医学が進んで、診断のみならず治療も医者という人間の手から遠のき遺伝子情報を中心とする科学の手に、ある患者にだけ該当する、これしかないというオーダーメイド治療へ移ろうとしています。あるべき方向と思いますが、「健康と同じく病気も自分（患者）の一部」です。生老病死は基本的に自分のコントロール下にあるのが「生きる」ということです。生きることが科学の独裁に任せきりの方向には抵抗を感じます。

3章　活きる

・高貴な魂のありかたはこうである。かれらはどんなものでも無償で手に入れようとはしない。まして人生を（ニーチェ『ツァラトゥストラ』）
・遊びをせんとや生まれけむ、戯れせんとや生まれけむ、遊ぶ子供の声きけば、我が身さへこそ動がるれ（『梁塵秘抄』）
・人間の本性というのは、モデルに従って作られる機械でもないし、また指示通りの作業をする機械でもない。人間はその内側の力の方向に従って、それ自身多面的に成長し、発展することを要求されている樹木の如きものなのだ（J・S・ミル『自由論』）
・タフじゃなくては生きていけない。やさしくなくては、生きている資格はない(レイモンド・チャンドラー『プレイバック』生島治郎訳)
・どんな人の人生も、それがどれほど複雑かつ充実したものであっても、実際は一つの瞬間からなって成り立っているのではないか。人がおのれの何者なるかを永久に知るあの瞬間（JLボルヘス『続審問』）

人は、他の動物と同じように呼吸し飲食し動くことによって生きています。しかし、それはただ単に存在するだけの動物的な生に過ぎません。人間としてはその上に何かを付け加えてこそ真に生きているといえます。人は目標をもって生きることが可能です。たとえそれが叶わなかったとしても、です。目標は生を導きますが、それはあくまでも目標であって、もっと大事なのは日々を充実させることです。生きるとは、階段を一歩一歩こころをこめて上がることで、止まったところで終了してしまいます。

誰でも生れた以上生きています。人間が生きるということには二つの意味あいがあって、一つは生まれたから生きるという単純で自然な生です。他は意味、価値、目的あるものとしての生、すなわち精神の完成に至る道を歩み続ける自分に課された生です。いずれにしてもヘラクレイトスの言うように「同じ川には二度と入れない」です。「あらゆる生は、自分自身であるための戦いであり、努力である(オルテガ『大衆の反逆』)」。

カントは、人間とは何かと自問して、1.わたしは、何を知ることができるか。2.何を為すべきか。3.何を希望することができるか。の三つを挙げました。知識と行動、そしてそれらが希望の源になるような人生、ということだと思います。なお、カントの定言命法は、「汝の意志の格率(倫理の原則)が常に同時に不変的立法として妥当するように行為せよ」。たとえば「殺してはいけない」のように意思を無条件的に規定する道徳法則のことです。人間にとって本当にあると言いうるものは、精神の行う運動だけ、精神とはその人に固有のものです。それだから、ある人が生きるとはその人に完成に至る独自の衝動、生まれながらに持っている親から受け継いだ自然的な生にしたがいつつそれを越えて進むことです。それは選んだ仕事(手足を使って、頭を使ってすること）を通じて、そしてそれのみによって得られます。ルターは、職業のことを召命、神からの呼びかけ（英：calling）といいました。なお仮言とは、もし何何なら。無条件の逆。

職業選択は人生の一大事です。自分に合った、仕事を見つけそれに専心することは、夢を見る事やおしゃべりすることとは次元が違います。自分という主観と現実・仕事という客観がよき結節点を作り上げたときに生の二つの意味合いはよき方向に向かって統合的に動きだしてゆきます。身体が感じ、知り、行為することで、その結果なにごとかが成し遂げられることです。そういう基本的な総論があったうえで、意味・価値・目的のある生を生きることです。なにかを為し遂げるためには、まず健康であること。環境に祝福され、出発点としての戦略がしっかりしていて、要所で相応しい戦術が自然に湧いて出て障害を突破してゆく、というのが理想的な生です。

もう少し柔らかく言えば、生きるとはあたえられた役割を果たしていくことです。人間はあらゆる面において社会的存在であって、序でに社会的存在である訳ではありません。社会とはわれわれの生まれる前からあり、死んだ後にもあり続けます。アイデンティティ（他と異なり、自分自身であること）は社会的に、与えられるものです。人はそれぞれこの世において「役割」を持っています。それが分かることが善く生きる条件です。社会の期待する役が分かりそれを考慮した方が多くの意味で賢明です。自分で役割を決めて進んでゆくことも大事ですが、そこには強い抵抗を覚悟しなければなりません。われわれは承認・非承認という込み入った網の目の中で毎日の生活を営んでいます。

人は気やすく「生きる」という言葉を使いますが、生きるとは海図なく広大な海を航海するようなもので、容易ならざることです。そうはいっても、誰もが生きています。すなわち生きることは難しいといえば難しく、何ともないといえば何ともない事になります。しかし何ともなく生きることは空しい。その違いの依って来るのは、結果を問うか問わないかにあります。呑気にさえ生きればこの世は天国、結果に責任を持てば日々は苦しみに満ちたものです。結果とは何かを作る（仕上げる）こと、そしてそれに依って承認を得られることにあります。善く生きるとは、自己の確立と欲望（一・自我）、他とつながる（多・社会的資本）そして未来（無限・宇宙）と関わる。その結果として何事かが実現します（造成）。

人間が作ってゆく物には、目に見えるものと目に見えないものがあって、前者の代表が各種の物・建造物で、後者のそれは広く文化と言われるものです。文化は社会を作っている基のもので、考え方や行動様式に集約されます。仕事と並んで他者との関係はもちろん重要ですが、できれば優れた他者である方が望ましくて、このことに関してマルクスは「人間がたんなる自然の産物であることをやめて、本当の人間になるのは、たんに他の人間と関係するときではない。自ら一人の個別的人間と関係するときに、はじめて人間になる」と。

真実の自己に会えたら死んでもよい。真実の自己だけが教えてくれ、その自己を求め続けるのが人生です。善く生きられた人生が美しいピラミッドに結果する。なに事も、美しくかつ善くなければ事とはいえません。しかし、生きていく上での正解、客観的な「善い」生き方というものはありません。善いと思った途端にそれに縛られてしまうし、なによりも善さとか真理というものは到達不可能だからです。同じように、客観的な「正しい」生き方というものもありません。

「ただこの一事を務む、すなわち後ろのものを忘れ、前のものに向かって励み目標を指して進む（『ピリピ書』）」。神は細部に宿るといいます。農民は灼熱の太陽の暑さや寒さの中で倦まず弛まず農地を耕作する。そして幾度も畑から雑草を取り除き、土が細かい砂のようになるまで土地を耕す。かれらは、雑草を取り除くという細部を怠るとすべての努力が無駄になることを知っている。「日本の芸術を研究してみると、明らかに賢者であり哲学者であり知者である人物に出会う。かれはビスマルク（ゴッホの時代の政治家）の政策を研究しているのか、そうでない。かれはただ一茎の草の芽を研究しているのだ。いいかね、かれは自らが花のように、自然の中に生きてゆく（『ゴッホの手紙』）。」細かいところに気が行かない人は本当はなにものにも気が行っていません。些細なところを甘く見て忽せにしたらなにごともなしえません。為したと思ったことは穴だらけ。逆に、細かいところの重要性に気づきそこを抜かりなく仕上げることによって物事は上首尾に完成に至ります。善く生きることの秘訣は細部の処理にかかっています。

生きてゆく張り合い、人生に意義を感じることが生き甲斐。何事かに、イマココと集中できたら、それがたった一度であったにしても生きたといえると思います。あの時は、イマココと思って力を出し尽くせたという思いが一つでもあれば、われわれはにっこりして息を引き取ることができると思います。たとえば医者には「私がイマココと頑張ったから、あの人は死ななかった」といえる患者が一人でもいたら生きる甲斐のある人生だったといえると思います。もちろん多いほど益々よい、ではありますが。

「学者が、後々まで残る仕事を成し遂げたという、おそらく生涯に一度だけ、二度とは味わうことのない深い喜びを感じることができるとすれば、それは自分のごく狭い専門領域に閉じこもることによってなのです。略。自分の魂が救われるかどうかはこの写本のこの箇所の解釈が正しいかどうかにかかっていると思い込むことのできない人は、学問とは縁遠い人なのです（マックス・ウェーバー『職業としての学問』）」。外部からは笑うべき珍しい情熱でしょうけれども「汝が登場するまでは、何千年もの時間がただすぎたのであり、さらに数千年の時が、沈黙したまま待ち受けている」と信じられるかどうかにかかっている。人間にとっては自分の情熱をかけることのできない仕事は、意味のないものです。情熱は霊感をうみだす前提条件ですが、他方、どれほど情熱があっても、またその情熱がどれほど純粋で深いものであっても、情熱だけで無理やり結果を生み出すことはできないのも事実です。

長らく常識であった人生50年が過去のものとなり、80年どころか「人生100年」がまんざら冗談とも言えなくなってきました。その百年が単なる水増しでは残念なことです。生きるためにせざるを得ない労働から解放され、なにものにも煩わされることなく人間にとって大事なことを考える十分な時間、定年後というボーナスが与えられています。昔は定年から死まで時間を要しなかったので60歳の還暦を盛大に祝いました。そして、それから遠からずして死んでいきました。

だが50年が倍になっても3倍になっても千年になっても、人生は短いという嘆きは絶えないと思います。「モーセの十戒」に「汝、貪ることなかれ」とあるように、人間の欲にはキリがありません。短いと知って、その期間を生ききることこそが「生きる」だと思います。人は死ぬべき時に死ななかったら悲劇しか待っていません。生きるということの一面は、死ぬ時というものが分かり、それに備えている、というところにもあると思います。自力で（食欲、咀嚼能力など）食べられなくなったら死ぬしかない、ということです。長く生きよう、長く生きなければならない、という呪縛から逃れさえすれば生きることは苦しくなく、むしろ楽しい。80歳になってわかりました。健康の項で述べたように、人生とは「物事」をつくり、他からの承認を求める闘いです。次から「もの、こと」のつくり方を考えます。

1. 感覚

・すべての人間は、生まれつき知ることを欲する。その証拠としては感覚への愛好があげられる。感覚は、その効用をぬきにしても、すでに感覚することそれ自らのゆえにさえ愛好されるものだからである。そのうちでも最も愛好されるのは、眼による愛好（視覚）である。われわれはただたんに行為しようとしてだけなく全くなにごとを行為しようともしていない場合にも、見ることを、他の感覚にまさって選び好むものである（アリストテレス『形而上学』）

・認識の全ては経験から始まるが、認識の一切が経験から始まるわけではない。時間や空間のように、経験に先立つ超越的起源から始まるものもある（カント）

善く生きるとは、いわゆる五感を磨き、外界に適切に対応することです。光や音といった外界からの刺激をそれぞれに対応する受容器が受けた時に経験する脳内現象を感覚といいます。眼耳鼻舌皮膚が感覚受容器で、生じるのが視覚・聴覚・嗅覚・味覚・触覚です。見聞覚知というように見る・視覚が最も重要で聞く・聴覚がそれに次ぎます。われわれは五感を働かせて外界から情報を得て、なにかを知り、それを基に考え行動しています。見る、聞くがすべての始まりであり、その中でも見るが圧倒的です。見る力（視覚）は、人間が社会・外界とつながる五感の内でも最も強力なものです。

多くの人は、目の世界が唯一の客観的な世界であることに疑いをもちません。文明が始まって以来それはなによりも目の文明でした。しかし、あまりにも目の独裁が強くて物事の真の理解に却って妨げになるということもまた事実です。わたしたちは視野の中にある個物に関心を集中します。地（視野）と図（個物）において図は地からいわば浮き上がって見えています。なにかに注目し焦点を合わせると、その地にある他のものが見えにくい、時にまったく見えないということが起こりえます。集中できていないときには、自分の見たいもの、知っているものだけが見えるといわれます。予期しないものが見える、構えないという焦点を合わせない見方、図が地から分離する以前、主客未分の状態において見る必要があります。この反対の戒めが「七人の盲人象を見る」です。視覚の威力はいうまでもありませんが、同時にその限界、視覚に騙されない、を知ることは生きる戦略上必須です。視覚・聴覚ほど人を迷わせるものはない、というのも事実です。

人は眼を開ければ何でも見えている、頭を働かせれば何でも分ると思いがちですが、「見える・分る」の程度は人によって違い、見方・知り方によって違うものです。「よき観察者であるためには、よき理論家でなければならない（ダーウィン）」。大きく広く全体に目を配りかつ肝心なところに集中。「観の目強く、見の目弱く」とは、ものごとの奥の奥（真相）をしっかり見定め、多彩な表面（現象）に幻惑されることがないことを言います。見るのは行動に移るため、行動の準備として見るのであって、行動に移らないなら何も見る必要はないことになります。「目の付けようは、大きに広く付くる目也。観見二つの事、観の目つよく、見の目弱く、遠き所を近く見、近き所を遠く見る事、兵法の専也（宮本武蔵『五輪書』）」。武蔵は相手を倒すという行動に移るために見ていて、そういう習慣を深く長く続けた結果観の力が強くなったのだと思います。見たものが深いほど行動はより生きたものとなり、武蔵の場合は相手を倒すことにつながります。なお、勝つためには反復練習だけでは駄目で、胆力勇気がともなわなければ画に描いた餅。勇気とはやみくもに相手に飛掛かるのではなく、目の前の相手に眼を奪われることなく「近きを遠くに見る」ことができることです。

見視観：見るにしろ知るにしろ、そこには浅いものから深いものまで多くの段階があります。目を開けて単に見るのは見るあるいは眺める、対象を注視するのは視る、心であるいは自己の全力を挙げてみるのは観。見るは十分の一をみる、視は半分以上をみる、観は十をみる。エルンスト・ユンガーは「見るとは攻撃的行動である」と言いましたが、彼の考えているのは緊張をはらんだ観察の働きです。それに対して純粋に見るとは、身構えないでむしろ自分を開く働きです。満開の桜の花を見るとき人は活動的であるとはいえるが、科学的観察時のように身構え緊張してみる（労働）のではありません。

五感はそれぞれ独立していると同時に、お互いにつながりあって融合、融通し合ってもいます。

弱い感覚があれば他がそれを補います。そのことは、耳だけで聞いてもよく聞こえない、目でも聞かなければ万全ではない、耳で聞くだけではよく分からないことも、眼などの力を借りて初めて聞くになる。弟子に「達磨にはなぜ髭（ひげ）がない?」と聞かれた師匠は、「そんなことは考えることではない、見ればすぐわかる」と答えています。たとえば鳥の声がするが何という鳥かは分からなくても、実物を見ればシジュウカラの鳴き声とすぐ分る、など。匂いも同じで、よい香りがするときバラの花を見て何の香りか分かります。「真なるものは全体である（ヘーゲル）」。視覚を失った者は聴覚が常人以上に発達しています。

見方の深浅を見視観というのと同じように、聞くも、耳に入ってくる音がなんとなく聞こえる、聴覚器官に音の感覚が生じるだけの「聞（イコール見）」、何の音かよく聞こう理解しようとする「聴（視）」、そして心・心耳で聞く（観）といった少なくとも3段階の深浅があります。

それとは逆に、見えるもの聞こえるものにやたら惑わされてはいけないとはよく言われます。『無門関』第16「鐘声七条」に「世界はこんなに広いのに、なぜ坊さんたちは鐘の音がすると条件反射的に袈裟を着てお堂に上がるのか。（始業のベルが鳴ると皆教室に入るのはなぜか、と同じようなことです。）音に支配されるのではなく音を乗りこなすことができれば、朝から晩までに起こってくることに対して迷いも逡巡もなくさらりと応じて滞ることはない」。

2. 認識

・知性（ヌース）は、その対象に接触し思考することによって、その対象となる。それゆえ知性は知性の対象と同じである。なぜなら、知性の対象つまり実在・本質（ウーシア）を受け入れるのが知性だから（アリストテレス『形而上学』）

・もっとも勇気ある者でさえ、自分が本当は何を知っているのかを直視する勇気を持つことは稀である

感覚・知覚をもとにそれを認識まで高める心の働きを知性といいます。知ることは認識するとも言い、人がものを知る働きおよびその内容を言い、後者・内容は、自分のもの（知識）とした現象や事物のことです。そこには、事物の内容を理解する、見分ける、存在を認める、あることを経験するなどといった意味があります。知識が知りえた成果を指すのにたいし、知恵は知る過程とその結果の両方を指すことが多いのです。

知識は普遍的で永遠のものについてでなければならず（アリストテレス）、それ以外は付録にすぎません。認識の構造は知性・判断力・理性の三つからなっている。すなわちまず全体観である知性・概念とそれに対する判断があり、そこから理性が働きだします。知性は静的な受動的な

もので、理性は動的な能動的なものです。

知・認識は、これだけは確かだと言いうる真の確実な知、ポイントを押さえた知であって、それは真なるものの把握です。真理の本質は（絶対的な真理というものがない以上）一種の価値評価で、価値評価とは、わたしは「しかじかのものはこうである」と信じること。真理とは心に描いた表象の正当さで、その本質は価値評価です。

知る対象は二つ、外・周囲の環境・社会と、もうひとつは内・自分のこと。身の回りで起こっていることを知る（外・知一般）と自分自身を知る（内・自知）。人間が生きてゆく上で、自分の周囲・環境を知ることは「生きる」ための必要条件です。もう一つは、自分は何者で何が目的で生きているのかを明らかにする知。人が何を知っていて何を知らない・不知であるかは、その人が何者であるかを示す十分条件です。知る、究極的に知るべきものは何か、というと自分を知る（自己認識）ことです。自分を知る者と知らない者、この差は大きいものです。たとえそれが駄目な自分であっても、駄目とわかるからこそ、そこから脱出しようとできます。人間として本当に生きるとは、自分を知るところから始まり、その知を深めてゆくことです。汝の内へ入って行け（アウグスティヌス）ものごとを深く考えること、は自己認識から始まります。自分がわからなければ他を知ることはできないし、仮に他が何であるかを知ったとしても、自己という土台がぐらついていたらそこになんの意味があるのでしょうか。自己とは、知的な認識能力を持つ人間が自己の本質まで立ち帰ることによって認識できる主体です。しかし前者は自分を知る補助具にすぎないで、後者が生きる根拠。

知るには、何かについて知る（概念）と、何かを直（じか）に体験して知る（経験）。間接的に知るのと直接知る、の二種類があります。前者でえられたものを知識といい、知識は簡単に得ることができます。経験は自分で汗を流して求めなければ得られませんし、汗を流しても得られるとは限りません。知るとは、何か（事物、現象、状態など）を弁える、理解することをいいますが、それには、見ることの大小深浅といったレベルである見視観に相当する段階があり、それは、表面しか知らない、よく知る、深く本質を知る。心・魂で観る。見視観の観が心眼・魂で見る事とすれば、知るは、知・熟知・観照といったレベルがあって、観照は心の眼・魂で知ることです。人は心眼によって何を見るのでしょうか。自分の正体をです。

認識とは認識される対象への同化・適合であり、真理の故郷であり対象への近づき方といわれます。「知るとは、対象が何であれそのものと一体化すること（アリストテレス）」です。相手の立場に立たないと、懐に入り込まないと物は見えない、分かりません。ベルグソンも「ぼくたちは対象そのものに身を置いて、そこで知覚しているのであって、ぼくたちの内部で知覚しているのではない（『物質と記憶』）。」芭蕉も「竹のことは竹にきけ。松のことは松にきけ（『三冊子』）」。自分の都合のいいように相手のことを考えても相手のことは分かりません。こういう伝統的な考え方に対してカントは、認識が対象に一致するのではなくて、対象が認識に適合すべきである、という認識観に対するコペルニクス的転回をもたらしました。

知るに関する学を認識論といい、「われわれに知られている世界の在り方、その知り方」「そうした知り方をもつ我々自身の在り方」などの探求する哲学の一部門です。知るとは外から与えられるものと短絡しがちですが、自分で知ろうという努力・認識は忘れてはいけないと思います。そうでないと人間そのものが単なる情報処理機械になってしまいます。

ふつうは物事において終点・結論に達することが重視され、途中・過程は結論に達するためにのみ意味あるとされます。が、知ることにおいては知識よりもそこに達する過程である知恵がはるかに重要です。働き（行）とそこから生まれる結果（事）は同じであることを「事行」といいます（フィヒテ）。なにかを一生懸命おこなうという過程が生き甲斐で、結果は序でに得られるものにすぎません。道元は、修行していること自体が、もしそれが真剣なものであればすでに悟っていることだ、修証一等（なにかを志すとは、すでにそれが実現しているのに等しい）、と説きました。

ある程度の知識は必要ですが、ある程度以上の知識は要らないというかむしろ無いほうがよい。必要なら調べる方法はいくらでもあります。スポーツや将棋を他人がやっているのを見て興味をもって自分でも始めるのですが、早い段階で本を読んで速く上達しようと気が焦りますがほめたことではありません。稽古を徹底的に行ってある程度できるようになってから本という文献に頼った方が良いと思います。知識は実践の邪魔。人間の生を旅に譬えることがありますが、知識は、危険と困難が避けがたい旅をできるだけ有効かつ快適に行う具体的な方法（ガイドブックや地図）を指すのに対して、地図なくしてする旅・人生では、生きて働いている知恵こそが旅をする上ではるかに重要というわけです。

知ることの究極は、自己を知ること。それと、この世を奥の奥で統べているものを知ることで、それはお前よりはるかに偉いものがあるよ、そのおかげでお前は生きているのだ、とわかること。知識そのものより大事なのは、知識を持つことにどういう意味があるかを知ることです。知識は自己を発見するための重要な武器です。しかし、自己もこの世の奥の奥も本当に知ることはできません。人間はそのようにはできていないので、それらはただ努力目標としてあるだけです。

外に出て行かず君自身のうちに帰れ。真理は人間の内部に宿っている。古代ギリシャにおいて自然現象の多様性はなんらかの単純なものに還元できて、万物のもとになっている基本的な物質が存在するに違いないと考えられていました。その単純な基本的なものは原子である（デモクリトス）としたのは偉大な直観でした。しかし、当時もその後の長いあいだも検証することは不可能で、20世紀になって物理学の進歩によってやっと実証できたのでした。

認識には、物は見たままという実証主義と、見えている物の奥に本体（イデア）が在るというプラトン主義とがあります。実証主義は、真なるものは感性的なもので、机は目の前にあって現にわれわれが見ている机以外の何ものでもありません。多くの人は唯物論者で、感覚されたものが現実そのものであってそれ以外の何物でもないという素朴実在論者です。すなわち現実を構成するものは見聞きしているものだけである、物質・質量がすべての事の初めであり終わりである。この立場の弱点は、ある物が在ることに関して、なぜその物がそこにそのように在るのかについて、何も説明することができないで、在るから在るとしか言えません。

そこで、感覚的な認識から一段上の知性的な認識への上昇である、目に見えない真の作用因が登場します。古代ギリシャの初期の哲学者たちは水、火、空気、土の四大が全ての基でありそれらを愛が結び付け、憎しみが分離させると考えました。プラトンはものごとには何か普遍的な原因があるはずであると考えました。究極の知るとは、物がなぜあるかを知ることすなわち存在論です。プラトンによると認識するとは、目とか耳といった感性的なものにではなく、非感性的・超感性的なものを自分の前に表象し、自分をその表象された理念（イデア）に合わせる模倣することです。それによると、見えているもの（感性的なもの）は仮・非存在であって、存在しているのではない以上、超越的なものに照らして評定されなければなりません。キリスト教も同じです。すなわち、存在するものの全ては第一存在（神）の働きによるものである。神だけが自分の力で存在し、他はすべて神が創ったもの。この説もイデア説と同じように、創造者である神と被造物である現実存在（人や物）をつなぐものの説明がつかないと批判されていますが、宗教ではギャップは信仰で埋めています。信ずる者は救われる。

如何にして知るか。人は、感覚を通して入ってくるものを自分の持てる力で分析して知るに至ります。理性で物事の理非善悪を区別して弁えることを分別と言いますが、分も別も「わける」ことです。細かくとことん分けていって科学はついに素粒子にまで至りましたが、分けすぎると却って分かりづらい面もあり、分別にすぎれば何も分からなくなってしまい元の木阿弥。物を分けて行けばついに素粒子に達しますが、この茶碗は素粒子の集まりですと聞いても、茶碗がなんであるかは分かりません。茶碗は陶工が土から轆轤を回して作ったもの、で十分です。

基礎教育を受けある程度の年齢に達した人は、新聞雑誌や書物、インターネットによって知識を得ます。テキスト（書かれた文書）を読むときには、それを書いた人が生きた状況である「生存地平」から生まれるものですから、読んで理解しようとする人もその生存地平というコンテキストに身を置いて読むときにのみ正しく解釈することが可能です。言い換えればテキストとは、誰が何のために誰を対象に書いたかという視点を欠けばよく理解することは難しくなります。文書に限らずなにごとも「誰が、何のため」という視点から検討することが基本です。利益を得よう、騙そうといった良からぬ魂胆からいったり書いたりしているかもしれません。21世紀になって、資本主義社会がモノからコトへと非物質化へものすごい速さで動いています。そこでの教育は、子供大人に関係なく単に知識を与えたり増やすことではなく、知識を習得する方法を授けることに重点を置く必要が強調されています（ドラッカー『ポスト資本主義社会』）。
単なる知識は唯それだけの事。物事はなんであれ横へ広がって豊富になるとともに、縦に天まで高く地下深くへと進んでいって初めて物事が分かります。高く深く進ませてくれるのが書くことです。読むプラス書くが単なる読むより物事の真相（層）に連れて行ってくれます。天まで高く地の奥深くまで深まってはじめて意義ある情報となります。そのためには書くことが、頭の中で考えているだけより高くかつ深くまで連れて行ってくれます。

もの（物）でもこと（事）でも多くの層からなっていて、表面とそれに覆われて隠されている内部は違う、ときにまったく違います。地球は陸地と海からできているように見えますが、見えない奥には熱したマグマからなっています。マグマの存在は火山の噴火などで知られます。人間は服装、化粧、表情ときにマスクなどの奥に肉体（皮膚、筋肉、内臓）が隠されています。マグマや肉体ももっと多くの層に分けることもできます。

また、対象を見る主体もたとえ気づかないでも多くの層からなっているので同じ相手を見ても人によって見方見え方は大いに違います。表面も違いますが奥はゆけばゆくほど違うのが普通です。自分の一番奥から相手の一番奥、隠された部分を見抜くのが見るということの基本です。相手（物、こと）の核心を自分の核心から見ることができるのが健康な人。なにか（対象）を、学問的に深く極めて行けば、その極まる程度に応じて研究者も人間的に成長してゆくものです。人間的に深まらないのは研究・探求が不十分なのです。

・真理は概念によってとらえられるのではなく、感じられ直観されるものであり、絶対的なものの概念ではなく、絶対的なものの感情や直観がことばとなって言明されねばならない（ヘーゲル『精神現象学』）

・自我が減れば、その減ったところを直観が埋める。

3．直観

人は感覚によって物が在ることを知り、知性が認識にまで高め、それに理性的思考による分析・判断が加わって知る作用が進行します。あらゆる思考において、まず知性によって大前提たとえば「生き物は死ぬ」が、ついで判断力を使って小前提「人は生き物である」が、最後に理性によって結論「人は死ぬ」が導かれる。すなわち、知性があって初めて理性は働きえます。知り方にはそのほかに一気に本質・全体に迫る直観があります。直観によって見えないものを知りえます。生きる基本は直観力を磨くことです。思考によって得るより、遥かに多くのものを事物そのものから得ることができます。周りを廻っているより、直接関わることの方がはるかに確実です。いくら眺めてもリンゴの味は分かりませんが、かじってみればすぐ分かります。

長い観察と熟慮の末にようやく見抜ける真理を瞬時に的確に把握する能力をクラウゼヴィッツは『戦争論』のなかで「心の目（クー・ダイユ）」と呼んでいます。大きなものごとに関して直観が正しければ、長く通用する壮大な思想につながります。ブッダの孔子の老子の思想などがそうです。アインシュタインは、時間と空間は同じもの（時間と空間は一つの構造体として互いに影響をおよぼしあっている）、言い換えると時間は場所つまり質量との距離によって決まるという誰も思いもしなかった直観を得て、実験や思索を重ねて美しい数式にまでたどり着きました。アインシュタインの直観は考えて到達できるものではなく、天才の直観のみがスタートとなりえます。

直観は判断の入る前ですから、それは判断に邪魔されません。それゆえ当然外れることも少なくありませんが、それは磨かれない直観のせいで、直観が悪いわけではありません。いわゆる文明の進歩によって直観以外の方向指示器が発達してきて直観の出る幕はだんだん減ってきています。磨かなければ鈍くなるのは刀だけではありません。直観こそ普段から磨いておく必要があります。磨かれない直観は単なる思いつきにすぎません。

ものごとは全体が把握できて初めて意味があり、部分だけではあまり意味がありません。全体に達するのは一瞬であって、人生の一大事においては、頭で考えている間に場面が変わってしまいます。プロ野球では、バッターはピッチャーが投げた球を見てからではなく、ボールが投手の手を離れる前に球種を直感して打つ、そうしなければヒットは打てない。また、よき野手はバットがボールに当たった瞬間に体が動いているそうです。それは練習を重ねることによってのみ得られます。判断の始まる前に分るのが直観で、直観は判断や推理などの思惟作用の結果ではなく、対象を直接把握する精神の働きです。真理とは部分の寄せ集めではなく全体です。宗教は直感から成り立っていて、あらゆる教祖の説は直観の塊で、熟考の末にできたものではありません。宗教学者シュライアマハーは、宗教の本質とは「思惟でも行動でもなく、直観と感情である（『宗教について』）」といっています。

直観力を磨くのが善く生きることであり、良いバッターや野手です。古代中世の宗教家は言うまでもなく、哲学者たとえばプラトンやアリストテレスもおおむね直観を認めていますが、時代が下がるにつれてだんだん疑いの目でもって見られるようになってきています。カントは、人間の知的認識の働きは、ただで手に入るものではなくて、推理の積み重ねからなる労働、ヘラクレス的労働であるとまでいっています。しかし、現代でもベルグソンのように直観を重視する哲学者も少なくありません。言ったこと書いたことの多くは瞬時にして、長くても数年のうちに消えてしまうのに、長年にわたって影響力を保つものも在ります。元になった直観が正しかったからです。考えて達したことでなく根っこの部分に直観が在るからです。

・外界を認識することにとって、人間の身体は究極の道具です。わたしたちはいつも外界の事物に意識を向けているので、そうした事物との身体的接触を感知して、その感知に依拠しています。身体を介して外界を認識しているということですが、それは身体を外に在るものではなく、まさに自分そのものとして感じ、活用しているということです（M・ポランニー『暗黙知の次元』）

部分と全体という考え方が役に立つ例のひとつは暗黙知です。はっきり言葉にしたり文章にすることが困難であるけれども直観的、身体的、技能的に得られる知識を暗黙知といい、その代表が顔の識別です。私たちは何百人という群衆の中に知っている人間がいたら瞬時にその顔を識別でき「アッ彼がいる」となります。それは細かい目鼻立ちが分からなく、部分の足し算ができなくても可能です。部分的条件である目・鼻・口といった個々の要素と全体的条件である顔・人相という二つの条件の間に意味深長な関係が生じるところに、暗黙知が成り立ちます。全体は諸部分が合同してできた表現できないが理解可能な意味・包括的構造だからです。これは、部分項から全体項へと注目が移動し統一性を持った構造へと個々の要素が統合されて内面化するからです。暗黙知は人がじかに交流しないと伝わりません。文書やリモートでは伝わりにくく、何事も最後にものいうものは人対人、対面です。

わたしたちの身体は、対象である外界のすべてを知るための究極の道具であって、外界の事物は身体によってまとめられて相応の構造・存在へと統合されます。言い換えれば、外界の諸要素を身体に同化しているのです。それが暗黙知の根本です。これは世界に向かって身体を拡張・同化させることで、世界の諸要素を内面化して、その意味を首尾一貫したものとして把握すなわち暗黙的包括＝理解することといえます。（参照。第1章「健康」）

4．理性

・理性が実はいかにより偉大な非理性的なものにその起源をもっているのか、また理性がいかにその一見非合理的な淵源から生い立ってきたのか（H・ホワイト『メタヒストリー』）

感覚的欲求に左右されることなく思慮的に行動する能力を理性といいます。only man has reason.人間にだけ理性がある。理性をギリシャ語ではロゴス、英語では reason といい、reasonには理由、原因、思慮分別などの意味もあります。理性とはものごとを正しい望ましい方向へ導く能力と考えられています。ある面ではそうかもしれませんが、問題は、理性ですべてがうまくいくか、ということです。宇宙は理性的ですが、人間にある理性とは一定の条件の下においてのみあるにすぎません。人間世界や人間を根本で支配しているのは、社会を見れば歴史を見ればそして自分自身を見れば分かるように、圧倒的に非理性的なものです。理性は非合理性の上にしばし滞在するヨソ者にすぎません。知性があれば知識と理性は普通・平均的で十分。普通以上はかえって邪魔。

理性は経験に適用される知性の認識を前提とします。しかし、その範囲は経験によって到達できる範囲をはるかに超えてしまいがちです。

その理性は非（不）合理性というはるかに広範な全体の一部に包まれているということです。理性にのみ頼って世の中を見ている人には、その世の中を真に理解することはできません。いろいろな意味で世界の最先端を行くと思われていたアメリカ人が不景気（中間層の没落）になると、アッサリ大統領にTという異常な人物を選んでしまったのを見ても、合理性の見かけの奥に非合理性がどっかり腰を据えているかが分かります。合理的な考えや合理的に行動をする人が普段は前面に出ていますが、一旦つまずくと、圧倒的に多い非合理的思考や非合理的に行動するポピュリストが自己主張を始めます。理性はドップリ愚かさにつかっています。理性は非合理・愚かさという大海に浮かぶ小舟。

同じようなことは知識についてもいえます。ごく平凡な日常生活を営んでいる大多数である普通の人間がもっている常識的な知識が世を動かし頼りになる知識です。研究などによって得られた先端的な知識はこの常識的知識に支えられそこへ溶け込んで初めて世の中に受け入れられ力を発揮できます。理論化されたさまざまな観念体系は、それらが理論以前の知識がもつ信憑性のもつ構造に支えられていなければ、受け入れられ成立しうるものではありません。理性は非（不）合理性というはるかに広範な全体の一部に過ぎません。

生きものに備わるあらゆる器官には、たとえば目には見るという目的があり、器官はその目的を最善に果たすためにあります。そうだとすると人間に理性が与えられていることは不味いことかもしれません。動物的に生き延びるためには本能があれば十分で理性は不要です。理性が関わる度合いが増えるほど生きる目的である幸福から遠ざかってゆくような気がします。

羽が在るから鳥は飛ぶことができますが、進化の過程でのごく初期の短い不完全な羽はなんの役に立ったのでしょう。出来立てのロクに見る役に立たない眼は将来の完成品を知っている筈はないのに、なぜできたのでしょう。理性にしたって同じこと。初期の理性は人間を迷わす役にしかたたなかっただろうに。心配無用です。完成した羽や眼がいきなりできたのではなく既存の物である前肢や光を感知する部分が転用され進化したのです。理性がその本来の働きを為すためには、理性の奥に控えている直観力を養う必要があり、それは小我をなくし真我をはぐくむことです。

5. イマココ――覚悟・狭き門

・狭き門より入れ、滅びにいたる門は大きく、その路は広く、これより入る者は多い。生命にいたる門は狭く、その路は細く、これを見出す者は少ない（『マタイ福音書』福音書　第7章）

・「入門不是家珍」。（広い）門から楽にはいっても役に立たない、それは宝（家珍）ではない
・百尺竿頭　如何進歩（竿の先から、さらに一歩を進めて、自己の全体を現わさなければならない）
・おまえが現に生き、またこれまで生きてきたこの人生を、もう一度いや幾度となく生きねばならないだろう。そしてそこには何一つ新しいものはない。お前の生の一切がお前のもとに再来する、なにからなにまで同じ順序で（ニーチェの永遠回帰説）

人生は長い。しかし、その意義や意味は均等にあるのではなく、年令や年代によってすることが違うのは当然です。それだからある年代にするべきことはその時にしなかったら取り返しがつきません。子供のころに、青春に為さなかった、できなかったからと言って大人になってから為しても仕様がありません。各年代においてすることがなされ積み重なることによって人生は進んでいきます。それは極端にいえば人生を一分一秒に縮めても同じことです。為るべきときに為べきことを為す。これをイマココといいます。「配列の強みと魅力は、いま言うべきことを今いい、多くを後廻しにして、さし当っては省くことによって発揮される（ホラティウス『詩論』）」。「存在するすべてのものは、どこに存在しようとも、ただ現在としてのみ存在する（アウグスティヌス『告白』）」

人間は母胎を出るという最初の門に始まって、数かぎりない門・関門を、最後はあの世への門を通ることになっています。門とは、ここでは難関や障害物を言います。門が狭ければ狭いほど

通過することは難しくなります。が、門が狭いほど通過したあとに展開する世界は広いものです。門を避けることはできますが、それでは生きているといえません。生きるとは門を見つけて超えることです。「求めよさらば与えられん。門を叩け、さらば開かれん。すべて求める者は得、たずねる者は見出し、門を叩く者は開かるるなり（マタイ福音書）」。

この世には、目に見えるもの見えないものを問わず門がたくさん控えています。目標の前に立ちふさがる門を見つけ出して通るのがすなわち生きることです。門というものがあるという意識がなければ気づかれませんし、気づかなければ門は狭くなる一方で、気づいたときにはもはや通れなくなっています。われわれはそれらの門に気づき、気づかされて戦って日々新たになって成熟してゆく、蛇や昆虫のように脱皮ないし変態を繰り返すよう運命づけられています。しかし多くの場合、門があることに気づかない。イマココが門であると気づくのが運命というか直観です。ジンメルは、「橋と扉」というエッセイで「邪魔する扉とつなぐ橋」を言っています。

時間と空間はわれわれが生きるために設定された場です。過去があって未来があり、ここがあってあそこがあります。だから、イマとココが単独にあるわけではありません。過去現在未来は永遠というただ一つの瞬間に収縮する。「永遠の相において見る」。が、その瞬間とはイマという時でありココという場所のことです。イマココと気合が入るタイプの人は基本的にリースマン分類の内部指向型で、伝統指向型とか他人指向型はそうではありません（参照。４章「環境」の「社会学」の項)。

この世では何が起こるか分かりませんが、またスズメが一羽落ちて来るのにも、天の摂理が働いているといいます。なぜ、あそこに居ずココに居るのか。あの時には居ないでイマ居るのか?「今来るなら、後では来ない。後で来るのでなければ、今来るはずだ。たとえ今来なくても、やがては必ずやって来る。覚悟がすべてだ(ハムレット5幕2場)」。覚悟は原文ではreadinessで、(何が来ようと、それに対して)準備ができている。本能寺で反乱者に襲われた織田信長は「寄せ手の旗印は何か」と聞き、明智軍と知ると「明智か、ならば詮もなし、是非におよばず」と言って、寺に火を放ち自害しました。

「あらゆる存在者の存在は意志であり、意志とは力への意志である(ニーチェ『力への意志』)」。人が存在するのは意志が在るから、意志するからこそ存在する(に値する)。意志とは原始的な情動形式であり、他のすべての情動は意志の発達形態にすぎない、とも。存在の本質は知であり、知とはヘーゲルにとって意志でした。意志とはなにかある心的なものであるのではなくて、心がなにかある意志的なものであること。意志とは、自分を超えて意志する自分の主人公になることでそれは覚悟、イマココという覚悟こそが意志の本質である。

パスカルは『パンセ』で、こんなことを言っています。「未来と過去が無限であるなら、何時・イマは実際には存在しないだろう。すべての存在が無限で、無限小なるものから等距離であるなら、何処・ドコも存在しない」。あるいは「自然空（空間）は、その中心がいたるところにあり、周辺がどこにもない無限の球体である」、現実の宇宙がそうであるように。いま（今）は、過去から未来に続く時間というものの生成の過程にあると仮定されている限界ないし区切りであり、点や線のような便宜上の取り決めで現実にはありえないものです。ニーチェの永遠回帰説は、「おまえが現にいま生き、またこれまで生きてきたこの人生を、お前はもう一度、いや幾たびともなく生きねばならないだろう」でした。これはしかし、まったく逆方向とみられがちなカント的規範の実践的な意味でもあります。カントにおいては、行為が社会という横の並列的な連なりという無限の反復の中に引き入れられているとすれば、ニーチェは行為を同一人の果てしない継続的つながりという縦の次元でとらえているからです。

イマココのに向こうを張る言葉も平常心是道（南泉和尚）など沢山あります、がここでは略し、「そのうちにやるぞ、見ておれ」を記すだけにとどめます。しかし、これら二つは単なる時間のずれ、前がそのうち、後がイマココであるにに過ぎません。じっくり準備して基礎体力をつけ、基本を十分マスターして、それから満を持して打って出よう。少しの遅れは気にしない、早く飛び出した奴は、早く息切れしてしまう。こう思っている人はたくさんいますし、現に、早く飛び出した者の多くがトップでテープを切ることはどこの世界でもそれほど多くはありません。しかし、いったんついた差は広がることがあっても縮まることは例外的です。「そのうち」というものは来ないことになっています。

6. 経験

・遅き日の積もりて遠きむかしかな（蕪村）

わたしたちの認識は経験から始まります。対象に依るのでなければ認識能力が呼び覚まされることはありません。だが、とカントは言います。「一切の認識が経験から生じるわけではなく、諸感覚を枠づけるものを経験に先立つアプリオリなものとみなして、経験自体を可能にするアプリオリな次元がなければならない」、というわけです。経験が可能になる条件を問題とする認識をカントは「超越論的」と名づけました。

人が生きるとは行為・行動を積み重ねながら年を取って行くことです。行為は一方的になされる動き（行動）ではなく、他者との関わりにおいてなされ、社会的行為といいます。人は、さまざまな事に意味づけをして行為します。意味づけができなければ行為に移ることはできません。行為者が自分の行為に意味を見出すから行為はなされます（マックス・ウェーバー）。

物事の意味はあらかじめ決まっているのではなくて、他者との相互行為のなかで生まれてきます。打たれたから打ち返す。社会は確固とした特定の価値によって成立しているのではなく、人間の主体的な解釈によって意味はその都度修正されます（シンボリック相互作用論）。行為は、言語というシンボルを介した意味の解釈過程で、この立場には二つの前提があります。人間はありのまま・生の事象に反応しているのではなく、事象のもつ意味に基づいて行動します。たとえば木は、科学者には研究対象、サルが上るもの、キツツキがツクもの、画家にとってはモチーフ、大工にとっては材料・使うもの。木の意味は絶えず解釈しなおされて変化します。すなわち意味は人間によって解釈されることで意味として実現されます。第二に、意味は社会的な相互作用によって生み出されます。

経験とは二種類。経験がそのまま無意識のうちに流れてゆく内的持続（ベルグソン）と、すでに流れ去った体験を立ち止まって、〇〇を行っていたのだ、と完了形の型で思い描く過去把持・再生の二つです。前者においては自分が何を行っているかは意識されてはいません。意味という場合、後者の過去把持が主で、意味は過去との対話の中で発生してくるものです。この過去との対話から、未来にも応用する未来完了的思考が生まれてきて、こんど〇〇をしようとなります。このように行為の動機には過去と未来という二つの動機があります。過去からくる動機は、こうだったから今度はこうしようという理由の動機、未来との関係では目的の動機となります。A・シュッツによると、行為に意味を結び付けるとはそういったことです。

人が生きるということは何かをする、他に対して働きかけることです。身体を動かすだけでなく考えることも含まれます。なにかをすることによって何かが起こります。それらの積み重なりによって人は経験を積み、新しい人間に変わって行くことができます。

経験とは外部とだけでなく自分の内部との直接的な接触をもいい、それがなんらかの意味で自分自身を（よい方向に）変化させる、豊かにすることを暗に意味します。「人智という経験は悩みによって学ぶことであり、人間は悩みを通して、また悩んだ後で初めて学ぶ(アイスキュロス『オレステイア』)」。経験を生かすのが判断で、判断を可能にするのが知性です。デカルトは、どんな経験でも、それが誤りである可能性を排除することはできないことに気づき「cogito ergo sum私が考えている、それ故に（その考える）私は存在している」と、経験である意識内容は疑い得ても、意識する自分が存在していることは疑い得ない。コギトを第一原理すなわち確実な認識の出発点とし、知性の重要性を指摘しています。第一原理とはプラトンにおけるイデア、一神教における神などのことです。

なお、認識の源泉を専ら経験に求める立場を経験主義といい、具体的には、経験される多くの事象に共通の内容を取り出し（抽象）、個々の事象にのみ属する特殊な、偶然的な部分を捨てる（捨象）ことによって認識に至ります。経験した事や物しか分からないという考えです。見ることが経験のスタートとされますが、すくなくとも、目の中に手があって、見ながらその目の中に隠れている手でまず触って次いで、現実の手がそれらを触って確かめているように、そのように見ているものを触っているものです。行為を離れて経験はありません。行為的経験がその人を定義します。経験は人生の集積であり、経験をどのように考えるか、どのように生かすかは人生そのもの。経験主義は理性が認識の源泉であるとする合理主義と対立します。

人は日々いろいろなことを、よいことも悪いことも、経験しながら年を取ってゆきます。「日新、日日新、又日新（『大学』）」経験のうちのなにを記憶し何を忘れてしまうか。詰まらないことは忘れるに限るけれども、忘れてしまっては生きる意味がなくなってしまうような経験もあります。臥薪嘗胆。安眠出来ない薪の上に臥床し、あるいは苦い肝を嘗めることによって、仇のことを忘れないようにして遂に目的を果たしたという古代中国の故事。なにごとかを為したうちの少なからぬ人々は、人生の初期に（限らないが）強烈な経験をしていて、それを自分を励ますバネにしています。

アプリオリに、理屈抜きに前提できる観念は時間と空間の他にはないのだから、経験から帰納することを通じて真理は導き出されなければならないというのが科学。科学とは「宇宙という眼前に開かれた偉大な書物をよむことである（ガリレオ）」。「書物を読みそこから知識を得るのに比べると、ものそのものに依ってものの性質を発見することのほうが一層新しいしいっそう困難な方法だ。だが、率直に言えば、とりわけ自然の奥義を求める場合には後者の方法のほうがより開かれていて欺かれることが少ない（１６３２年に血液循環説を発表したＷ・ハーヴェイ）」。

知るためには、その基礎となる経験が、各種感覚によって外界から情報が入ってくる必要があります。動物は生まれるとすぐ動き出しますが、人間は1年近くの育児経験を経てやっと動ける(歩く)ようになります。そのように何かを見てそれがわかるようになるまでに経験を積んでいる必要があり、それまでに経験したことのある物と事のことしか分かりません。時間とか空間の認識は先天的（アプリオリ）なものとされますが、それ以外の多くの認識は経験があって初めて得られます。

「汝は汝の食べたものの結果」である、と同じく「汝は、汝の経験したことの結果」。経験というものはその人間を規定します。どういう経験を積んできたか。経験以外に何事も何物もその人を決める、定義することはできません。われわれはボーッとして見るのではなく、行為することによって物を見ます。経験という岩盤に乗って見、知り、行為をしています。わたし（あなた、も）は生まれてから今に至るまでいろいろな経験を積んできています。その経験は私の経験でしかなく、他のだれの経験でもありません。あの時のあれやこれやが今の私を作ったのだ。あなたの経験も同じです。わたしとあなたが同じことを経験しても、それは私だけの経験であって、決してあなたの経験ではなく、同じようにあなたのそれはあなただけの経験です。われわれは作られたものであるが、それを基に新たなものを作ってゆく生きものである。作られたものから作るものへ。経験することによって過去は否定され、そこに新たなものが生まれてきます。

7. 運命と偶然

・もののふの八十宇治川の網代木に　いさよふ波の行く方しらずも

・人間どもは、自分の無思慮の言い訳のために、偶然の女神の像を拵えた。なぜなら、偶然が思慮と相争うことはめったにないことであり、人生におけるほとんどのものを正しく秩序づけるのは、分別ある炯眼だからである（『デモクリトス』）

・偶然がわたしを見舞うという時期は、もう過ぎた。いまから私が出会うのは、何もかもすでに私自身のものであったものばかりだ。ただ戻ってくるばかりだ。ついにわが家に戻ってくるだけだ（ニーチェ『ツァラトゥストラ』）

「運命とは、特定の個人が当初の内面的性格として潜在的に持っていたものが表面にあらわれたものである。人の生涯は、その最初のころ、すでに本質的に残るところなく露われている（森有生『バビロン河のほとりにて』）」。なにごとにも原因はあります。最初のものが、そのあとに生じるものの原因となるという仕方で、あらゆるものは相互に結ばれあっています。ただ、われわれには直線的なつながりしかわからず、横や斜めから来る原因に思い至らないから偶然に見えてしまいます。偶然とは「われわれが知らない、気づかないこと」の別名にすぎない、自分の行動がすでに決定されているのに唯その原因を知らないだけかもしれません。何事も自分のせいと観念しましょう。

運命とは、絶対的かつ客観的なものではなく優れて主観的なもので、普通に起こっていることであっても或る人にとっては特別の意味をもって感じられることとがあり得ます。単に因果的に起こっているに過ぎないことでも、そこに主観が入ってくると特別な意味、遅ればせの目的性を帯びて運命となります。ある人に道で会うことは偶然に過ぎないと片付けるのが普通ですが、その出会いが引きつづきさらに多くの連鎖を引き起こして深刻な人生の転機の起点、例えば昇級あるいは失業、となるとき運命の摂理と呼ばれます。周辺的でしかなかったことが積極的ないし消極的な目的性を持ったできごとである運命となるのです。

運命論（宿命論）とは、すべてが決まっていて人間の力ではいかんともし難い、という考え方です。キリスト教とくにカルヴァン派プロテスタントの有力な考え方に予定説があります。すべてのことはあらかじめ（神によって）決められている。たとえば、天国に入ることに決っていない人は、いくら努力しても入ることはできないで、入るように予め定められた人だけに、それがどんな人であっても、確実である。地獄も同じ事。この世のすべては神が創りかつ支配しているというキリスト教の教義を突きつめれば予定説は当然の帰結です。このような考え方の許では、人間というものは永遠の昔から定められた運命に向かって、一人で孤独な旅を行く内的な生物ということになります。隣にいる親友さえもが、まったく別の運命に向かって歩いているかもしれないのだから。予定説においては、いかなるものの介入も叶わない完全に呪術や魔術から解放された世界と言えばいえます。

世界は偶有的である（他でもありうる）ことをわれわれは知っています。そのようにしか世界は考えることができないからです。なぜなら私という人間が単独でいるのではなくて、他者というものが居ることを私が知っているからです。世界というものに対する考え方が私と他者では別であることは十分あり得ることですから。偶然か必然か、考え方次第です。偶然（偶有性）は反対が可能であることをも意味するので、そこでは起こる可能性と起こらない可能性が平等で、可能と不可能のいずれが現実に起こるかに原則はありません。他でもあり得る、ということです。反対が不可能なら偶然ではなく必然、です。偶有性とは本質的ではなくて、偶然的にある性質たとえば明日の天気が晴れか雨かなどのことで、不可能性と必然性の双方が否定される（不可能ではなくかつ必然でもない）、他でもあり得た性質や属性のことをいいます。

社会が安定的で秩序あるものであるために偶有性は少ないほうが良いのですが、本質的になくなるものではありませんし、無くなったら社会は活気なく死んだも同然です。仮に、膨大な情報とそれを基に将来を正確に予測できるＡＩ（人工知能）ができたら、生きることはなんの興奮もない詰まらないものでしょう。人間の力ではどうしようもないことはあります。だけれども、どうしようもないコトにいかに対処するかが生きるということです。

宇宙や地球が誕生して生物がそして知的生物である人間が出現したのは幾多の数えきれないほどの偶然が重なった末のことで、われわれが現に存在する根本原因は、いくたの偶然が単に現存する我々に有利に、あるいは不利に、働いただけのことという考え方（ダーウィン）です。ということは、わたしが存在するのは偶然という名の運命、逆に運命という名の偶然、ということかもしれません。偶然のように見えるすべてをひっくるめて、そこに太い一本の道がとおっていてそれを運命といいます。あなたや私が居るのも同じ偶然の賜物です。この地球に居る以上、いかなることが起こっても望まなかった偶然のせいと責任転嫁することは、偶然の結果である自分自身の存在を否定することに他なりません。何億年も前に、現在の私につながる魚卵が潰れていたら私はいないことに、潰れなかったから居るのです。何事が起っても、地球上に生きているからにはそういうものだと受け入れるのが「正しい」生き方となります。あいつが俺より偉いのは偶然の重なりのせいに過ぎない、と考えて安心しましょう。

最も確実であると考えられていた物理学的世界でさえ、不確定性原理（物質の最小単位である量子が、ある場合は粒子であり、ある場合には波動であり、どちらであるかは正確は決まらない、確率的にしか決まらない）の確立いらい、アインシュタインの信じた「神はサイコロ遊びをしない（自然は決定論的である）」に反して、物質は極微小な部分では偶然の支配下にある、というのが通説です。

　運命というとき、体格・体力や知的能力のように自分ではどうしようもないものの問題があります。人はもともと持っていない能力を羨んだり呪ったりしても仕様のないことで、必ずある自分の適性を探すことに努力をつぎ込むのが建設的です。ハンディキャップのある人が五体満足な人より健康で豊かな人生を送るということはいくらでもあります。一回しかない人生においては適性を探すことがアルファかつオメガで、運命などといった正体不明としか言いようのないものに囚われては詰まらないことです。人は年を取るにつれ体力気力ともだんだん衰えてくるもので、かつては何事にもめげなかった人も遂にはいろんなことが空しく、どうでもよくなって行きがちです。いつまで気力を保つ、保てるかはそれまでの生活が左右します。常に前向きで何かを成し遂げた人は、たとえなにもできなくなっても虚しさから遠いと思います。

　よくない運命に陥っていると考える時、人間はそこに何者かの悪意が働いていると考えがちです。運命は善でも悪でもなく、無記です。善や悪があるのではない、ただ運命があるだけ。善とか悪は単独であるのではなくて、善悪は同じものの両端あるいは善と悪はお互いになにがしか相手の要素を含んでいるといえます。また、なにかと離れてその外側に善あるいは悪があるものでもありません。

8．外・造り上げる――ピラミッド

・お前は、遠くに見える頂上に圧倒されて登ることを、あきらめている。足元から一歩く進めばいずれあそこへ到達できるのだ（王陽明）

・われわれが、我々の中にあるもののほんの一部分を生きることしかできないのなら—残りはどうなのだろう（P・メルシェ『リスボンへの夜行列車』）

・でも、悪いのは信念ではありません。悪いのはお前自身です。信念なんていうのは大したものじゃありません。…大事なのは仕事をすることです（チェーホフ『ワーニャ伯父さん』）

人間の真の価値はその行為、なにかを成し遂げようとすること及びその結果にあります。われわれは、世界という劇場において俳優として動き回り、ある役を演じなんらかの作品を作るという存在です。主役、脇役あるいは単なる通行人に過ぎないとしても、あるいは上手い下手の違いはあっても、とにかく俳優であることには間違いありません。また舞台から下りて観客となることもありますが、人は役を演じ、ときに見物者になって作品を作っています。人は、お喋りによって偉いのではなく、物を造るあるいは自己を作る（深める）ことによって偉いのです。人は自分の本質を仕事のうちに込めようとしますし、また、そうでなければよい人生もその完成も期しがたくなります。ここでは登山とピラミッドを造ることを例に話を進めます。生きることは登山あるいはもの造りにたとえられます。

登山は山に登ることで、低いところからだんだん高度を上げ難所をこなしつつ頂上に達するのですが、必ずしも頂上を踏んで雄大な風景に見とれることだけが登山ではなくて、登る途中で悪戦苦闘するところにこそ登る喜びがあります。生きるとは自己を駆り立てることで、その駆り立てること自体がすなわち生きる。ですから生きるとはどんな山——高い、低いあるいは険しい、楽に登れるなど——も、生に輝きを持たせる動機・選択であり、そのモチベーションを継続させる気概にあります。大小深浅はあっても、登山には必ず遭難（難に遭う）が伴います。人間は基本的には安楽さを求め思い込みで生きていけるものですが、そればかりではなく時には気概を見せる、肚の底に力を籠めることも必要です。

人生において何かが完成すること、ピラミッドの最後のレンガを自分で置くことはほとんどありません。前の人を引き継ぎ次の人に引き渡すという中間者というのがそれぞれの人の人生です。自分一代で何かを作ろうという大それた考えを持ったら、満足できる人生はあり得ません。完成しないからこそ人生と言え、それが終わりなき生を生きるということと思います。そして、何かができてもそれで終わりということは無く、もっと大きなものに望むにしても、まったく別のものを作るにしても「終了」ということはありません。ただ、作品に貢献できたということはこの世に何らかの刻印を打ったことにはなり、刻印を打ち続ける、それが生きるということです。人生はなにかをつくることに譬えられ、造られたもの（作品）はふつう何らかの「形」として姿を現してきます。形は目に見えることも見えないこともあり、目に見えるのがピラミッドなどの構築物といえば、ここでいう作品が何を意味するかは分かりやすいと思います。しかし目に見えないものも創られます。目に見えないものはたとえばあるアイデアや思想に辿りつく、などといったことです。フロイトによる無意識の発見などがよい例です。あるいはコロンブスのアメリカ発見などもそうでしょう、彼はアメリカを作ったのではないが、そこに別の大陸があることを旧世界人に明らかにしました。

わたしは消化管の中を見て体外からは解らない小さな癌などの病変を見つけるという分野で仕事をしてきました。体内を見るということは人類の古くからの願いでしたが科学がそれに見合うだけ進んでいなかったので夢にとどまっていました。たまたまグラスファイバーが実用化される時代に巡り合い今日につながる内視鏡の全盛期に生きそこに刻印を打つことができました。その流れは後輩たちによって今に至るまで続いています。働いているときは充実感がありましたが、いまから振り返ってみると流れに乗ってただ泳いで泳がされていただけというのが偽らないところです。

いのちは力、なにかを作る力、それが続くかぎりなんらかの形（職業、芸術、スポーツなどにおける達成）を成してゆきますが、形の美醜、大小高低、密度は人によって違います。生きることは誰にも学ぶことはできません。形とは外から見てわかる建造物、たとえば古代エジプトのピラミッドや中国の万里の長城などにたとえることができます。ピラミッドは石を積み上げて築かれたものですが、休みなく積んでいって四角錐のピラミッド型になるものが上。形を成すに至らず台形という名の未完成で終わったものや単なる石の塊に過ぎないものが中や下。上である為には一本調子ではなく四つの稜がしっかりとあり、それらの上に均衡を保って伸びて行ってはじめて崩れることなくかつ美しいものとして完成します。

ピラミッドは類を見ない巨大で堅牢な建造物で、例としてはよいのですが、現代人にはその必要性はいまひとつはっきりせず現実感を欠くので、ここではマイホームとします。住む家が必要なのにそれが無いとき人は家を建てようとします。そのため一生を費やすことすらあります。自分で作っても出来合いのものを買っても同じです。とにかく自分の力で何かを為すことを作る、と、ここでは言っておきます。マイホームは1~2代で空き家になって朽ちてゆきますが、ピラミッドはさすがです、何千年も生き延びています。ピラミッドが残っていることで数千年前のエジプトの地に人が居て何を考えていたか想像をめぐらす楽しみがあります。万里の長城も同じです。同じころ日本列島にも人がいたことは疑いありませんが、かれらが何を考えていたかは残されたものがあまりにも少ないのでただ空想することが許されるだけです。少ない材料で想像することの方が楽しいという人もいますけれども。

ピラミッドを見るとき、人はその大きさに圧倒されます。鞭でたたかれながら石を積まされただろう奴隷の喘ぎ呻く声を思うことはできますが、石を積む前に石切り場から1メートル立方の石を250万個も切り出し、それらの石を工事現場まで運ぶために10年近くかけて数キロメートルの道を造ったなどのことにはあまり思いが行きません。ピラミッドをみせて、こういうものを作るのが人生であると聞いたら、人は誰でも挫けてしまって創造に向って走り出すことなど考えつきません。遠い高山を見てあそこへ登るんだと言われれば気が萎えますが、一歩また一歩と、歩を進めればいずれたどり着くと教えられれば歩きだし、遂には達するものです。氷山の本体が海面下にあって見えている部分は全体の一部にすぎないのと同じように、ピラミッドも石を切る、石を運ぶなどこそが容易ならざるものです。偉大に見えるものはそれ相応のこれまた途方もない準備がいるものです。準備こそが、氷山やピラミッドの見えない部分です。見えないところで努力した人があってこそ大きなピラミッドが可能になります。足元をしっかり固めることを地道に続けているうちに土台はできて、そこでやっと前の方を向いて事は始まり、休まなければ事は成就すると思います。いきなり終点を思う人には何事も叶いません。最近の子供は、偉大なスポーツ選手を見てそれになろうと思っても、過酷なトレーニングが必要なことには思いが及ばないそうです。ピラミッドは人間が作るから意味がある訳で、他人ましてや自然が作った物を誇ってもしようがない。漱石の『三四郎』の冒頭部分にこんなところがあります。「あなたはまだ富士山を見たことがないでしょう。あれが日本一の名物だ。あれより外に自慢するものは何もない。所がその富士山は天然自然に昔からあったものだから仕方がない。われわれが拵えたものじゃない」。

行動の原動力は欠如感にあります。欠如感を埋めるというのが人の行動の原動力です。満ち足りていて欠如感がないとき人は行動を起こしません。金持ちのドラ息子がぼんくらなのはそういった事情からです。もちろん家を建てることがいきなり始まるのではなく、前段階として多くのことが、学校で学ぶ、仕事に就くなどが、あります。そうやって生きてきてある段階でそういえば借家ではなく自分の家が要る、ということに思い至りマイホーム建造や購入に動き出すのです。

人生というピラミッドを造っているときには全体像は見えず（エジプトの本物は設計図がありその通りにできたとは思いますが）、ただやみくもに先へ進むというのが正直なところと思います。自分と目標の間には距離があり、そこをつなぐ生の力をベルグソンの生の躍動にならってミンコフスキーは人格的躍動と言っています。人は躍動、活き活きと生きて何事かを実現してゆく生き物です。ひとり一人の存在は、この世の偶発事にすぎないけれども、わたしは、私をはるかに超えた何者かの表現であると思うのが宗教的自己認識です。それは、決断を下すのは自分であることをよく知りながら、自分を超える何ものかの力によって導かれているような感情といってよいと思います。

生が躍動という力の発揮である以上、なんらかの形を結果します。秩序ある形をつくるのは、まずその人の生きる力（人格的躍動）であるのは言うまでもありませんが、つねに脱皮を繰り返し生まれ変わっている、周囲と有意義な関係ができているというソーシャル・キャピタルが豊かなこと、先になにか目指すものがあること、宇宙とつながっていることを直観的に理解できる宗教的生などが支えます。生きるとは何かを作るといった面だけではなく、足元を固めるという面もあることは忘れてはなりません。堅固な地盤に立って初めて積極的な創作的な生を生きることができます。

大きく美しいピラミッドを築くためには、まず為したいことができるだけの健康、経済力、自分と周囲を正しく見ることができることなどが基礎材料として必要です。「生きるとはよく見ること」といわれます。正しく見るとは見ているものが全体のうちのどのような位置を占めているかが分かって初めて可能になります。対象は目に見える表層だけからなるのではなく、その奥に幾重もの層を為しています。すぐ目につく表面の奥がどうなっているかを見ることは生きてゆくために非常に重要です。また、ものはそれ単独であることは無く、つねに何かに囲まれてあります。どういうところに何とともにあるか。1．見えない物が見える洞察力。2．周囲の人たちに愛され、できうれば尊敬されること。3．最も重要なことと思いますが、自分の考えというものが在って、それに基づいて発言や行動ができること。すなわち決断力。その先には高く大きなピラミッドの完成が待っています。

なにごとも実現さえすればよいというものではありません。できあがる過程と出来たものは美しくあったほうが良いのです。人生はピラミッドを築くことに譬えられ、できたピラミッドは四角錐であればよい訳ではなく、底ひろく高からず低からず、どっしりして美しいのがよいピラミッド、美しい人生。偉大な数学者は「問題はただ解けばよいのではない。美しく解かなければ」といいます。美とは外見だけを言うのではなく、内もまた重要です。なにごとでも内に秩序と規律がないと外も美しくはならないもので、社員が無駄話に花を咲かせているような会社や組織はたとえ歴史があり大きくとも遠からず崩れてゆくものです。人も長く生きるだけが能でなく、短くとも美しい方が良いのです。

何が美しい人生か。魂をゆすぶるような為したいことを為している人生はおのずから美しい。最近では引退したイチローの野球人生は誰から見ても美しいものでした。人は誰でも美しく生きたいと思うものですが、一人で生きられない以上それはとても難しいことです。気がついたら美しくない、ときには見苦しく生きざるを得なかったというのがわれわれの普通です。人間は、物事から逃れて、孤独に引きこもりながら人間や物事を学ぶことはできません。自分が置かれたところ、従事する仕事の中で抵抗を突破することでしか学ぶことはできません。必要なことはただ一つ、抵抗を突破する、脱皮すること。

目に見えないものの創造。創り上げたものは建築物のように、必ずしも目に見えるとは限りません。生きて作り出されるものは目に見えるものだけではなく、目に見えないたとえば新しい考え方・アイデアを構想すること、ある思想を考え付くことも創造です。あるいはそれまで誰も見ることの出来なかったものを見ること、早期癌のそれまで知られなかった新しい形態を内視鏡でみる診断法を開発するなどは立派な創造と言えます。癌は崩れて血が出ている大きな塊というイメージが強かったのですが、いまでは、小さくてある意味きれいな癌もあると分かっています。それは内視鏡で小さながんが見つかるようになってからのことです。小さながんを見るということは何事かを「為す」の内に入ります。

形あるものを作ってすら、見る人が居なければ存在しない、ましてや形ないものは近くに居て接する者の外には無いに等しいものです。どんなに面白い小説を書いても読まない人にはその小説は存在しません。ピラミッドだって当時の日本人である縄文人には在りませんでした。書いたものはまだ形あるといえるかもしれませんが、頭の中に止まる思想は発表されなければその思想家の死とともに消滅です。古代ギリシャの哲人アリストテレスは膨大な著作を残していますが、ある時期ヨーロッパから消えてしまい、人も著作も無いことになっていました。ところがそれが残されていたイスラム世界から中世ヨーロッパに逆輸入され、大きな衝撃と共に生き返り再び存在することに。

9. 内・自分の奥へ

・世界で最大のことは自分自身を知ることである（モンテーニュ『エセー』）
・あなたは、大事な問題を片っ端から解いた気でいる。でもひょっとしたら、それはあなたがまだ未熟で、自分のことで本当に苦しんだ経験がないからじゃない？あなたは勇敢に前だけを見ている。でもそれはあなたの若い目に人生がまだ隠されていて、おそろしいことはみえないだけじゃない？（チェーホフ『桜の園』）
・あらゆる生は自分自身であるための戦いであり、努力である。

カントが『実践理性批判』の中で言っています。「それを考えることしばしばであり、かつ長きに及ぶにしたがって、つねに新たなるいや増す感嘆と畏敬とをもって心を充たすものが二つある。わが上なる星しげき空とわが内なる道徳法則がそれである。第一のものは私の見えない自己、私の人格性から始まり、私をある世界にあるものとして示す。それは真の無限性をもち知性のみの感知しうる世界である」。

人は生きることによって、前記のようになにかを作（造、創）ります。朝起きてから眠りに入るまで、人は休みなく動き回っています。身体が動いていなくても心臓や肺臓などの内臓は動いています。朝起きて顔を洗いご飯を食べ職場や学校へ行き仕事をし、終わったら帰って寝る。これは、生きるという第一義に関して最も基本的なことです。そのほかに遊びとか趣味があります。そして残るのが人間にのみ認められる、考えること、思考です。思考することを人間の第一義とするか二義以下とするかは人生をどう考えるかにかかってきます。目に見えるもの（ピラミッド）を外に築くとともに、内には自己の奥底へと掘り進んでゆき、そこに潜んでいる自己本体は何者であるか、という核に迫ってゆく。

ピラミッドを築きながら同時に自己究明が行われている、こんなことをしている自分とはいったい何者であるのか。自己のことが分からない人には美しいピラミッドを築くことは難しいでしょう。内が疎なら、できたと思っているピラミッドも砂上の楼閣。外であるピラミッドが土台からしっかりと築かれてゆかなければ結局仕上がらないように、内である自己解明も順序があります。基本は、「子供らしい子供（だけ）が、大人らしい大人になることができる（ヘッケル）」。

生きるということは自己の奥深くへ入って行くことです。自己を知ろうとすることが哲学的探求の最高の目的であることは、広く認められています。外でなく自己の内へ向かえ(アウグスティヌス)。自己自身のうちに還る(己事解明)。自分が何者か分かることは難事業です。ただ自分のことが分かった人は顔がそういった相貌を帯びてくるのです。どうやって入って行くか。なにごとかを為し、なにかを作りながら同時に言葉を磨いてゆく(文章の形にしながら、自分を診てゆく)ことです。人は言葉を使って生きているので言葉を、文章を磨くことによって人は磨かれます。立派なことを書いているうちに上等な顔に、下らないことを書いていると下等な顔に。

内なるものは対象化することができないものであり、目に見えません。内はいくら極めて行っても、コレだというところに達することはできないものです。おそらくラッキョウのようにコレ・芯はないかもしれませんが、知ろうという努力が貴重です。人生は終点のない旅、たとえ徒労に終わるよう運命づけられているにせよ。

旅。人間が生きるということは、可視・不可視にかかわらず、前に述べたように何かを作ってゆくことですが、それとともに何処かへ向かっているということでもあります。わたしは満州国奉天というところで生まれました。なにも覚えてはいないのですが、心のどこかに残っているのでしょうか、地平線(や水平線)に接するとき、異様な胸の高鳴りのようなものを覚えます。人間のまなざしは、何処まで行っても届くことのない地平の彼方へ向かって吸い寄せられようとするもののようです。人間には生きる身体性と言うものがあって、自分の前にある地平線を追い続けるという本能があるかもしれません。そこは希望や意味に満ちています。地の果て海のかなたはまた、コロンブス達をおののかせたように恐ろしさに満ちています。人間から取り去ることができないという点で、地平線は影法師に似ています。それらは人間の外面的にも、そして内在化されて心の内でも、人間に付きまとっているものです（霜山徳爾）。

巡礼こそがたどり着けない地平への旅。「夕べに憩えば影を抱いて寝ね、朝に行けば思いを含みて征く」。地平の手前への、ちまちまとした旅は出張ではあっても旅ではありません。なにがあるか分からない遠くへ向かうということは、アフリカに生まれ世界中に広がっていった現生人類の本能かも知れません。巡礼、遍路はただ歩くことである以上に終わったときにはあわよくば生まれ変わった人間になっている、ことを願って為され、現実に変わることもあり得ます。「脚力尽くるとき、山さらに好、有限を持って無窮を追うなかれ（蘇軾）」。人は決してたどり着けはしない地平線を目指して歩き続けるという巡礼者。そして巡礼の途中で死ぬことになっています。
「あかあかと一本の道通りたり　たまきはるわが命なりけり（茂吉）」

浄土宗の僧侶・山崎弁栄（1859〜1920）は、生きる目的を1．この世の根本律（宇宙の大法）に則り、その帰する処を定めそこへ向かう。2．自己の持てるもの（伏能）を開発し正当に生きる（仏教でいう八正道を行う）。の二つであるといっています。この世の決まりを知ることと自己を磨くこと。言わんとするところは、すべての元である無限の宇宙を直観できれば、小さな自己を全うすることができる。宇宙（マクロコスモス）と人間（ミクロコスモス）の一致、梵我一如。人間の生活という波は宇宙という海によって起こり、宇宙という光によって照らされる。宇宙を直観できることが宗教です。

人間は同じ状態のまま経過して（生きて）、一定の年数がたつと死ぬのではありません。時々刻々、年々歳々変わって、脱皮して、そして死んでゆくものです。変われなくなったらそのとき死んでいるのです。若い時には眼前に在る、見えるものごとに注意が向かい、それらが考えたり行ったりする対象となり、それらの周囲や遠くはあまり見えていないようです。年齢を重ね経験を積むにつれて対象が大きく深くなり、老人においては無限に向かうが、確固たる動かない中心もまた厳然として残るものです。生きるとは事々物々の各論から全体を俯瞰した総論への移り行き。若いころ哲学者である必要はないし現実に居たら不気味である。しかし、加齢とともに哲学者（自分で考える人）になってゆくのが自然な人生コース。

人は眼があって見ることができますが、そこでも同じようなことが言えます。近くから遠くかつ深くへ広がり、ついにこの世の秘密に気付き、真の世界が見えるような気になります。各年令年代において為すべきことをしないと、次の年代に進むことが難しくなり、無理に端折ってスキップすると良いピラミッドは諦めなければならなくなって、上へ伸びないで横へ広がるだけ。ジグソーパズルを埋めるような人生。埋まったとたんに何でもなかったと気づくジグソー。人はまた、見えるものだけを見ているのではなく、だんだん目に見えないものも見えるようになってゆくものです。

人間が、個としていきてゆこうとすれば、この宇宙のさまざまな秩序の中に置かれた、その中の一人として生きてゆかねばなりません。人間の宇宙に対する根源的な直観（宗教の本質――シュライアマハー）があって、それがそのことを教えてくれます。宇宙を直観した、と感じた子どもの頃の刺激的な瞬間を思い出してください。

よく生きるとは自分がよい方向に変わることであり、かつ他や周囲を変えることです。人間も生物である以上は、生きることの具体は変わる、変わり続けることです。何かをしたことが目に見えるのは、あるものが別のものに変わったことで、食事をしたらそれが血や肉に変わる、歩いたら居る場所が変わる、考えたらものの見方が変わる。そのようにいろいろなことをした結果その行為者自身も、善悪は別にして、変わります。脱皮。人生は即自（自己自身に即した未発展の段階）から進んで対自（自己と対決し、自己を対象化し、自己と闘う状態の段階）に移行し、最後にその対立を止揚し統一を回復した「即かつ対自（自己を意識しつつ、自己から解放されて行く段階）」という一段高い処に至る、正・反・合という弁証法的発展、ということができます。言いかえると、我を忘れているような即自から、自分を探しに出てゆく対自の世界に入って行く。対自を経たら即自にかえり我を忘れて生活してゆく。

人の一生は、あらゆることに驚き、驚くことができる幼児に始まり、加齢とともにだんだん驚く能力をすり減らして行って、ついになにものにも驚かなく、驚けなくなってあの世へゆく、と要約できます。いつまで、如何に驚く能力を保ちうるかが、生きる力というものです。しかし、驚きはやがて陳腐化してゆくものです。また驚きすぎても行動力が奪われてしまいます。

読書は、旅と同じように驚きに満ちた世界へ導きいれてくれます。学びの機会を与えてくれます。有名なサラヴァンの「君がどんなものを食べているか言ってみたまえ。そうすれば君がどんな人間であるか言ってあげる」以上に、「どんなことをしているか言ってみたまえ」といいたくなります。

驚くことと並んで重要なことは疑いを持つことです。驚きかつ疑う。これが生きている証拠です。「君がどんな質問をもっているか言ってみたまえ」。一流の学者とは普通の人が見逃すところに疑問を感じ、それを解き明かしてゆくから誕生するものです

無我、我にとらわれない、とは他人を受け入れる自己。他人とのつながりの中で物事を考え決めることです。なにものにも依存しない独立自存の自己というものはあり得ません。自我の呪縛から逃れ出ることができるのはよく生きてピラミッドを美しく築けた人の特権です。しかし、ピラミッドを築いた人でも、その内のほんの一部の者しか脱自我という特権を行使することはできません。ピラミッドを築いても、自分は偉いという自我が一層強くなることの方が多いからです。

なにごとも為さなかった者は、そのことがトラウマになって自我の檻から抜け出ることはかなわず殻を破れません。自我を壊し無我に近づくとは、言うは易く行うは難かし。逆説的ではありますが、自己とは何か、自己の自己との関係を常に考え自分自身から身を引き剥す努力をしていなければ脱自我は難しいものです。

「露の世の　露のなかにて　喧嘩かな（一茶）」

10．生きる目的──幸福

・人生を底部から理解している人の持つ表情のかがやき
・人は、とらわれない心で居なければならない。何ものかにとらわれた心であっては、その捉われた方向にものごとは逸れてしまう。色（美）にとらわれてはいけない、声香味触覚や対象にとらわれた心を起こしてはいけない。（『金剛般若経』）

ある人の話として「たまたま前に坐っている少女が、とくに美人というほどのことはないのだけれども、何とも言いようのないほど魅力のある人で、話の内容もしっかりしていた。気がつくとその少女は足が悪かった」。足に障害があることによって彼女は自分のことが善くわかっていて、そこが魅力の発信源であろうというのがその人の考えです。ついでに、美人は自分のことが分かっていないから、美人であっても必ずしも幸せにはならない、美人であるばかりにかえって不幸になる、こともある。賢い人についても同じことが言えます。

生きる目的、その実現のためにわれわれは生きています。前項に生きることの実際について述べてきましたが、人生の目的がはっきりしていなければそれらは空言としか言えません。人生の目的は何と問われたとき、ほとんどの人は幸福と答えます。一生懸命生きてその結果として幸福になる。では幸福とは何であって現実に在るものなのでしょうか。

「それ自身として望ましく、決して他のものゆえに望ましくあることのないようなものは無条件的に究極的で、かかる性質を最も多分に持つと考えられるものは幸福。なぜなら、幸福を望むのは常に幸福それ自身のゆえであって、決してそれ以外のもの故ではない、なにかを得る手段ではない（アリストテレス『ニコマコス倫理学』）」

なお、幸福が人生の目的であり善であるという倫理感を幸福主義といい、感覚的な快楽を求める快楽主義に対するものです。幸福とは生き方の問題です。欲望が少ないほど幸福に近づけるということになります。たとえば楽器の名人になるほど楽器を演奏していることを忘れて（欲望少なく）演奏している、そうすると結果としてよい演奏（幸福）になる。

すべての行為を包含するような一つの最終目的があって、われわれが何かのために行う行為のすべてはこの最終目的の構成要素になっています。最終目的をギリシャ語でエウダイモニア（英訳ではhappiness，和訳では幸福）といい、それは、「よく生きている、よくやっている」、要するに生き甲斐のある人生を生きているということです。そのような人は幸福者といわれます。エウダイモニアは名誉、快楽、富裕などいくつかの善きことの寄り集まった複合物、多くの小目的（幸福の部分）の集合です。小目的群は人によって異なりますし、一要素がそれ自身で聳え立って幸福をなしているのではありません。幸福にさらに加えるもう一つの要素というものはありません。幸福とは望ましい人生であって、ほめるべき人生を意味せず、必ずしも道徳的判断が入るものではありません。真理（ここでは幸福）は一つだが、そこに至る道は沢山あります。ある辞書には、幸福は「恵まれた状態にあって、満足に楽しく感じること」とあります。要するに幸福とは当事者だけのもので他者には該当しません。幸福とは、実体のない「何処かに有る」と思われているだけのものと私には思われます。ものごとを考える際の補助線と考えたほうが良いものでしょう。

人間はものごとそれ自体によってではなく、ものごとについて抱く考えによって苦しめられている（エピクテトス）。もし、不幸というものが自分の判断によってはじめて自分の中に入ってくるのなら、自分で不幸を軽視して、判断を幸福に向け変えることもできるだろう（モンテーニュ）。

幸福も歴史や社会（文化）の大きな影響下にあります。時代によって幸福感は異なりますし、時代のとくに文化が幸福感に大きな影響を与えます。江戸時代の幸福、武士の幸福、農民の幸福、令和のサラリーマンの幸福。人によって考える幸福には差があります。夜空に輝く星を見てきれいだなあと思っているようなもので、行ってみたら火の海だったり石の塊にすぎないかもしれません。幸福とは目指す目的ではなく、一生懸命に勤め結果として得られ感じられる心地よい状態と思います。アリストテレスが言ったように、人がなぜ幸福を求めるのかを合理的に説明することはできません。健康と同じように幸福は定義することは不可能で、幸福がそもそも現実にあるものか、言葉の中にだけある想像上のものに過ぎないかは本当のところよく分かりません。

健康と同じように幸福という言葉がなかったら人生を語る際に焦点が定まらなくて、だから幸福という言葉はいかに不明確でも必要です。アリストテレス以来多くの「幸福論」が書かれていて、「幸福な人間とは、客観的に生きる人であり、自由な愛情とひろやかな興味をもてる人である。これらの愛情や興味を通して、さらにまたかれ自身を他の多くの人々を愛情と興味の対象とさせるという事実を通して、その幸福を確保するひとである（B・ラッセル『幸福論』）」。こういう文が意味を持つのは幸福という言葉が在るからです。

幸福というと健康、財産、衣食住、友人、地位に恵まれていることがすぐ思い浮かぶと思いますが、これらは幸福の条件、幸福に至る道ではあっても決して幸福そのものではありません。健康、財産、地位などに恵まれていても欲にはキリがないものですから豊かでも幸福感のない人はいくらでもいます。幸福とは外に迷わず己を信じるところに、自ずと起こってくる感情です。

光かがやく春の野辺に家族とあるいは友人といるとき、あるいは窓から明かりが漏れてくる雪の積もった家並みの静かで穏やかな遠くの風景を見ているとき多くの人はなんとはない幸福感につつまれているものです。あるいは酒を飲みながら好きな本を読むとき。古来日本人の最大多数的な幸福感とは、春夏秋冬の自然に包まれそこに安らぎを得る、ときに下手ながら詩が生まれてくる。砕いていえば、生活、今の生活という置かれた立場に満足している、小市民的ほのぼの感、静穏さかと思います。

行っておくれ、幸福よ。おまえはわたしにとって、いま来ては困るものなのだ。幸福はそれを目指して一生を送る灯台のようなものなのだから、あまり早く来られても迷惑だ。「終わりよければすべてよし」。老年の至福は偶然くるものではなく、それまでの生き方の総決算として来るものです。「人は年を重ねるにつれ円熟してゆく」のです。幸福というものは一定のスパン・巾をもって考えるべきもので、人生の至福は老年期が恵まれていること、孔子のいったように、人生は成熟に向かう歩みと思います。人生とはある時点で評価されるものではなくて、一生を通じての総決算。老年期が寂しそうな生は、一生も寂しかっただろうとなってしまいます。子どものころ、青年のころあるいは男（女）盛りに幸福であるのはもちろん良いことですが、あくまでも途中経過であって、人生の決算である老年に至って不幸に、しかもそれまでの人生の結果としての不幸に遭ってしまうと、若いころの幸福も色褪せてしまいます。逆に老年期に幸せに恵まれれば、若いころ仮に不幸が多かったにしても、それらのマイナスさえも余裕をもって振り返ることができ、幸福感を強調するプラス因子に反転します。幸福は足し算ではありません、最後に幸福が来るのが恵まれた一生。

幸福は幸福感という言葉が示すように感じ方（感情）の問題です。本人が幸福と感じるのが幸福です。日本の老人は孤独に陥りやすくそれを自己責任と感じやすいようで、高齢になるほど幸福感が乏しくなり、それは高齢になると幸福感が増す図々しく騒がしい某国人などと比べてわれわれの特徴といわれます（厚生労働省）。どこかの国の人は客観的に幸福とは言えない状況にあっても幸福と感じることができる、かもしれません。横並び傾向の強い日本人では、他人の方が良く見えるとがっかりしてしまうからかもしれません。あるいは幸福を感じることができることは、ある意味で人間の条件といえます。色々なことがうまく調和して齢を重ね老年に達したとき幸福であると感じれば人生ピラミッドは上々の出来上がりを見せた、ことになります。幸福感とは「明日も目覚めたい。しなければならない事がある」と思いつつ寝につくことと思います。

宇宙には秩序が厳然としてあってそれが私たちを導いていると信じることができれば、それは心に安らぎを与えてくれ、それこそが幸福かもしれません。厚い壁を破ったとき人は満足感と共に幸福も感じます。圧力がなければ幸福というダイアモンドは生まれません。仏教を含めたインド思想は、梵我一如といって小宇宙である個人は大宇宙のエネルギーを受けて宇宙と一体である。

個（人）はいつも超個（宇宙）とのつながりの中でそのつながりを感じながら生きています。樹木に譬えれば、根・幹が宇宙で個人は葉。木の葉は秋には落ちますが根幹の樹木は冬になっても生きています。葉に過ぎない個人も大宇宙の精気・エネルギーを受けていて、（樹が活きている限り）死ぬことはありません。個（葉）が活きているのは超個（木）が生きているからです。

ここまで書いてきて、今の時代に幸福など呑気なことを言っていてよいのかな、という気がしてきました。グローバリズムが跋扈して、不幸な人が今ほど多い時代はありません。人は、マルクスの言った疎外の更にワンランク上の疎外感、大切なものと何のかかわりもない感、に苦しんでいます。とくに大都会で、人はどこでもかしこも肩を触れ合わせてはいるが、なんの共通点もなく、なんの関係もないかのようによそよそしく思い思いの方向に走りすぎてゆきます。先へ先へと進んできたかのようであった人類の歴史が、気がついてみれば精神的には元の野生状態に逆戻りしているのかもしれません。１００年前にプロテスタントの禁欲倫理から生まれ落ちたとされる近代資本主義の最終段階に現れる「最後の人間、おしまいの人間」は「精神のない専門家、魂のない享楽的な人間。この無に等しい人は、自分が人間性のかつてない最高の段階に到達したのだと、うぬぼれるだろう」とウェーバーは予見しています。

幸福には個人の幸福と公共の幸福があって、両者は密接にかかわっていて、快楽の増大、苦痛の減少をすべての道徳や立法の究極の原理と考えた功利主義者ベンサムは「最大多数の最大幸福」

を主張しました。公共的な幸福とは道徳に関することが主となります。高齢者は若い世代の助けがなければ幸福に近づくことはできません。社会保障の考え方です。正義とか他人の為に尽くすことに幸福を感じる人はいくらでもいます。

２０１８年６月の「週刊朝日」に「幸せ寿命」を伸ばす10のポイントとして次の項目が載っていました。真偽のほどは定かではありませんが参考までに引用すると、1．頑固さは老いの証し、相手を認める癖をつけ、積極的にほめる。2．地域や趣味の集まりで人と交わる。3．他者やペットと触れ合う。4．異性や孫など、一緒に過ごしたい相手を増やす。5．学び直しや趣味へ新たに挑戦する。6．オシャレや身だしなみに気を遣う。7．朝、起きたら太陽の光を浴びる（セロトニン）。8．よく歩き、よく噛む。9．吐く息に意識を集中させながら腹式呼吸を行う。10．嫌な記憶は忘れるような忘却の才人に。

4章　環境・社会

・人間は自分自身の歴史をつくる。だが、思うままにではない。自分の選んだ環境のもとではなくて、すぐ目前にある与えられた環境のもとでつくるのである（マルクス）

われわれ人類も生命の維持を自然界に頼っていて、バランスのとれた生態系の存在が欠かせません。環境との関係が生物にとって死活的に重要です。個人というより人類という種が生きるということは環境に守られていることです。環境にそっぽを向かれたら人類並びにそれを取り巻く諸々のことはたちまち干上がってしまいます。

ユクスキュルの『生物から見た世界』はこの方面の古典的名著です。生物たちが（もちろん人間も）環境を、自分たちにとって意味のあるものとしてえらびだしていることを強調しています。食物と敵を見つけやすいように進化することによって作り上げている環境世界が動物自身にとってもっとも重要で、極端にいえば餌と敵だけが関心事である、と。われわれは単に環境に置かれているだけではなく、その環境を自分にとってより暮らしよくすることがとりもなおさず生きるということ、というわけです。

日本は地震や台風など自然災害に翻弄されることが多く、自然は変えられる対象としてよりも、それとうまく協調すべき対象として考えられています。しかし地球温暖化の問題が示すように、人類が増えすぎかつその人類による地球環境の変革と破壊が地球を自然を全生物にとって住みにくいものとしています。森林が消えその代わりに世界中に高層ビルが立ち並ぶ環境はどう考えても住みよいものとは言えません。

自然とは、われわれがその中で生きている、生かされている世界です。地球とそれを取り巻く目に見えるもの見えないものの全て、山川草木、海と空。自然とはわれわれ人間がそこで生まれ生活している場です。このような大自然に対して、小自然（という言葉はありませんが）は、現にいる場所、平野、山や川、砂漠や森林、都市など。生きるとは、まず自然環境においてそれに逆らわないで、かつそこで他者とともに生きていることです。そのうえではじめて、自分というものがあります。人間はもちろん自然の一部です。いつのころからかとくに産業革命以来、人間の作った物がいわゆる自然と対立するものとなってきています。いまの自然は本来の自然とは別のもの。悲しいことです。

生き物がいるということは、無生物（物）があるのと若干わけが違います。物が在るということはそれが在る場所に動かずに在ることですが、生物が居るとは周囲と物の出し入れをする、動きまわり遍在する（遍くある）ことであり、場合によってはその場所から脱出することもできるのです。このことを清水博は「場をつくり出し、その場に自己を位置づけて存在する、そしてその存在の自己表現が場においてなされることが新しい場を作り出す（『場の思想』）」といっています。

生物とくに人間は、自分とは異質で必ずしも自分の条件に合わない環境世界に放り出されている不適応物といわれています。放っておけば自然消滅するほかありません。生まれるとすぐその種らしく活動できる動物、卵からかえった鳥がすぐ歩くのと違って、人間は乳幼児期が長く（子宮外胎児期）し、その後も苦闘的に生きて行く本能が破壊された生物で、本能のままに生きられる他の生物とはまったく違います。生物の中でもとくに不適応的な生物である人間はこの世界で生きていけるように、他の生物以上の努力が必要です。人間は生物的にはもっとも不幸な生きもので、その生きる資本は産業技術ですが、そのことが自然と人類を一種の敵対的な関係にしています。

わたしたちが生きている場は、時間的空間的にいわば無限・宇宙という場から切り取った断片・地球にすぎません。それ自体が一つの全体として、確固としたものとしてあるのではありません。存在する一切のものが、無限に多くの意味の場のなかに同時に現象しえて、何があってもおかしくはないのです。すべてを支配している唯一の存在などといったものはあり得ないのです。誰かがパチンと指を鳴らせば一瞬にして劇的に変わりうるものです。そのパチンとならすのが自分なら一番よいのですが。

1. 時間空間

・時間空間は実在するのではなく単なる思考のための制度である。時空は人がそれらをどう考えるかによっていかようにも変わりうるものである(カント)

・過去を追うな、未来をねがうな。およそ過ぎ去ったものは、すでに捨てられたものである。また未来はいまだ到達していない。そして現在のことがらを、各々のところにおいてよく観察し、揺らぐことなく、動ずることなく、それを知った人は、その境地を増大せしめよ。ただ今日まさに為すべきことを熱心に為せ(ブッダ)

・物理学的な時間などというものは存在しない。時間はいつでもどこでも同じように経過するわけではなく、過去から未来へと流れるわけでもない(一般性相対性理論がたどり着いた驚嘆すべき時間に関する真理)。

人間が生きているあるいは行動しているのが、時間と空間という場です。われわれは時間というものが在ることは先天的にアプリオリに知っています。だが、それが本当に何を意味するかは分かっていません。よく分かっていると考えることも、まったく分からないと考えることも自由ですが、普通は考えても埒が明かないから考えなくて、ただそういうものがあると知っていれば十分ということでお茶を濁しています。時間は目に見えないからわからないが空間は目にすることができるからよく分かることになっていますが、本当のところは怪しいものです。カントが言うように思考のための便宜的形式に過ぎません。われわれの思考能力は人間の為に準備された空間と時間という感性の形式に従ってしか働かないということです。

この二つとくに時間はわれわれを内からも外からも縛っているので、それに対する自分なりの何らかの考えがなければ、よく生きることは叶わないと思います。人は今を生きるとともに、過去も未来も生きています。思い出と期待。現在の在り方の中に、過去も未来も含まれている、というのが仏教の時間観です。ということは、現在の生き方によって過去は再評価されるし、未来の意味も決まってくる。現在のありようで未来はいうまでもなく過去までも決まる。それは総論であって、過去があって今があり、今があるから未来が望まれる。だが、今が単独にあるわけではありません。各論的にはその時々を「イマココ」しかない、過去も未来も関係ないという緊張感をもって切り開いてゆく者に運命は微笑むでしょう。そういう緊張感は、人生に目的がある者だけが持てます。ブッダの臨終の言葉は「自分自身を灯明とせよ」。己をわきまえ明らめ、あとは自己を超える者に身を任せる、です。

生きることについて考えるとき、われわれが生きている自然環境、時と所、について知るとともに、どのような文化空間の中にいるかを知るのは極めて大事なことです。

実在するものは「場所においてある（西田幾多郎）」。人間を含めてすべてのものは、広い狭いに関係なく、ある特定の場所に（置かれて）あります。自分がどこに置かれていると考えるかは、その人次第ですが、自分がどこにいるか、と考えることによって人の行動は左右されます。世界の中心にいるか隅っこに居るか。人に限らず存在するものの一般的な性質として、それがどんな場所のどんな部分に位置しているかによってそのものの意味が決まってくるものです。

場所に居るものは、その場所を見る（自己とその周囲を見渡す）観点が必要で、そうでないとどこで何をしているかサッパリ分からないことになります。場所のおよぶ範囲を地平ということもあり地平線はそういった範囲の果てのことです。そこからの拡大解釈で、ものごとを考えるときの視界を地平ともいいます。地平はまた視点、遠近法、展望などといった含みもあります。

場所における個物である人間の在り方を考えると次の二つに分けられますます。ある場所における人間は1．自己を中心にして考える自己（わたしは〇〇です、という主語的自己）で、全体を自己を中心に位置付けます。2．居る場所を中心にして考える自己（述語的自己）で、全体のうちに包摂され位置付けられていると考える自己、の二つです。自己中心的自己は、自と他を個と個の関係でとらえるのに対し、場所的自己は世界を超越した立場・観点から全体的にとらえる傾向にあります。大別するとこういう風になりますが、いつでもそのように分けられているのではなく、全体の状況と個物相互の関係に応じて自在に変わって行くものですし、そうでなくてはならないと思います。

冒頭に記したようにアインシュタインの相対性理論は時間に関して常識をひっくり返すような結論に達しています。具体的には時間が流れる速さが場所すなわち質量との距離によって決まります。ただその時間とは宇宙的なものでわれわれの感覚が捉えることはできません。また物質の最小単位である素粒子は相互作用においてのみ、相互作用の相手との関係に限ってのみ姿を現わし、いつでもどこでも同じ時間というものはありません。

しかし、素粒子は目には見えませんからわれわれはニュートンの絶対時間が教えるように過去から未来へ直線的に流れるものと考えて行動していればよいとおもいます。ただ、時間は相対的なものであるという事実も心のどこかにとどめておくのも悪くはないと思います。

2．全体と部分――システム

・真なるものは全体である（ヘーゲル）
・全体は部分の総和以上のものである（アリストテレス）
・一即多　多即一
・あらゆるものは、他との相関的な関係において存在し、その関係の中でのみ現実的である
・すべての事物は、引き起こされた結果であるとともに引き起こす原因であり、助けられると

ともに助けるものであり、間接的であるとともに直接的であるから、また、いかにかけ離れたものや異なったものでさえも結びつける自然な見えざる絆によってすべては支えあっているのだから、全体を知らずに諸部分を知ることは不可能であるし、おなじく個々別々に諸部分を知らずに全体を知ることは不可能である（パスカル）

部分は、全体における部分という観点がなければ、部分だけを見ているのでは理解できません。全体との関係で全体に生かされて個という部分はあり得ます。プラトンは、在るものは次の三つであるとして、1．感覚世界に現象している個物の原型（イデア）。それは不生不滅で、目に見えず感覚されることもなくて、理性によってのみ認識されうる実在。2．日常世界に現象している目に見えるもの、生滅し感覚されるもので、イデアに似せて造られた仮の像。3．生成するすべてのものに座を提供する場（コーラー）。コーラーはいつでもどこにでも在って滅びることはありません。すなわち在るものは、理性の目でだけ見えるイデア、肉眼で見える現象、そしてそれらがある場所。本質（本体）、現象、場の三種類というわけです。

あるまとまりをもったもの（物、場所など）を全体といい、それを構成する要素を部分といいます。動物と心臓や肝臓といった各臓器さらには細胞、時計や自動車などとその部品、文章とそれを構成する単語、あるいは家族、組織、地域社会、会社などとその構成要素である諸個人において前者が全体で後者が部分です。全体が何であるか分かってはじめて部分の意味（なぜそこに在るか）も分かります。逆もまた真です。部分のことが善くわからないと全体の理解もいい加減なものになってしまいます。なにごとも、全体との関係を離れてそれ単独で存在するものとして考えても意味はなく、どのようなところに何と共に、他者といかなる関係にあるかが分かることが、そのものの意味が解かることです。車と離れてハンドルが転がっていても自動車を知らない人に、ハンドルがなんであるかは分かりません。ある人を理解するには彼がどこに所属しているか（会社や国など）が分かってはじめて、彼のことをよりよく理解することができます。ただ人が勝手にいるだけでは烏合の衆です。

この世という場（全体）があって、そこにはどんな図（部分、個物）が何を目的に蠢いているか。誰が今何をしようとしているか、将来なにをするだろうか。すべてが織り込まれていなければなりません。われわれは、ある場所でだれか他者と共に何かをします。医療を例にとれば、医者が職場において働くとき、働く対象（患者）に一方的に働きかけなにかをするのではなく、同時に医者も対象・患者によって働きかけられ、それに応じて自己を変えながら自己を形成してゆきます。あるいは機械を使う職場であれば機械に教えられながら、農業なら天候や土地、作物に教えられながら成長してゆきます。

システム（全体）とは、複数の要素（部分）が有機的に関係しあい、全体としてまとまって機能を発揮している要素の集合体のことをいい、ある種の秩序です。と同時に、その秩序によって維持される相互に連関する諸要素（部分）の間には独特の関係性がなければならず、ただの集合ではシステムとは言えません。システムには、それをまとめ維持するなんらかの力があり、そういった力がなければ全体としてのシステムは成り立ち得ません。

仏教の縁起説で代表されるように、世の中は関係こそが基本で、目に見えているものは言ってみれば関係の結節点にすぎないというのが関係主義で、AとBの生活・行動がどのように結びついているかという観点からAやBを位置づける立場です。世界は関係主義を媒介にして理解できます。どういうことかというと、1．他者とは何であって、どのようにしてその他者と理解しあうことができるか。2．そういった理解が、われわれが世界のなかで演じる役割とどのように関係するか。などといったことを示してくれます。

システムという全体は、自動車のように外から何かに操作されて動いているものと、生物のように自分自身で動いているオートポイエティック（自己創出的）なものとがあります。なお、システム論とは複雑な現象を一つの全体・システムとして捉え、要素間の全体的連関を考察してそのあり方を解明しようとする方法をいいます。一つ一つの要素が集まって全体ができているのではなく、全体が先にあって、その全体の分節され方によってはっきりする部分が名づけられて（名前をもって）、はじめて要素が明らかになります。習慣や文化といった社会構造がまずあって、その構造に個人の言語動作は支配されていると主張するのを構造主義といいます。

「真なるものは全体である」と並んで全体というものの本質を表す言葉は、「全体は部分の総和以上のものである」。全体が部分を越えた性質を持つからこそ部分に意味がある集合をあえて全体といいます。

物の単なる寄せ集めではなく、部分の総和以上の体制化された構造をゲシュタルトといい、こういった考え方に基づいて人間を考えるのがゲシュタルト心理学です。精神を要素の集合・足算と見なす構成主義的な考え方を否定して、精神をゲシュタルト（形態）とみる心理学です。ゲシュタルトとは、緊密なまとまりと相互関連性を帯びた全体としての構造を意味し、要素に分解しようとすればこの構造は失われ、要素は要素としての構造も意味も失うという考えです。

全体と部分という場合には、部分は単に全体の中に在るというだけではなく、部分相互間に内的なつながり、共にあることの必然性、がなければ単なる事実ないし結果にすぎません。部分である単語（名詞、動詞など）が集まって意味ある全体（文章）や話ができますが、単語相互間に関連がなければ、文法を満たすように言葉が配列されていなければ、話は成り立ちません。

全体は部分があるから生まれるし、在ります。また部分は全体があるから存続しうるという持ちつ持たれつの関係にあります。部分は全体から栄養を補給されて存在しているので、栄養が来なくなる、すなわち全体という居場所から浮き上がってしまうと他に場所を見つけて移ってしまわない限り枯死するしかなくなります。逆もまた真です。「全体とは、すべての部分が均衡をえて安定していることであり、各部分とは、本来の所をえた精神であり、これは、自己の満足を自己の彼岸に求めているのではなく、部分自身が全体と均衡をえているのだから、満足を自己自身のうちにもっている。この均衡はそこに不平等が生まれ、正義によって平等につれもどされることによってのみ、生きたものでありうる（ヘーゲル『精神現象学』）」。全体を構成するものには有意味な部分だけではなく、それだけでは無意味と思えるものもあります。DNAには働いている有意味な部分と生物活動に参与していない無意味な部分があります。しかし、文章における接続詞などのように無意味とみえる部分があるから全体は安定しています。

「全体は部分の総和以上のもの」という考えを創発理論といい、進化論・システム論の用語で、生物進化やシステム進化の過程で、先行する条件からは予測や説明できない、新しい性質が生み出されることをいいます。家庭という場を考えてみましょう。全体が、何を目標に構成されていてお互いが何を考えているかが大体わかりあっている場の代表が家族です。自分たち自身で整合的な関係である全体（家庭）を作りながら、その関係に従って自己（部分）の振舞いを決めていっています。そこでは、時と場合によって全体のことを重視したり個々のことを重視したりします。舞台上の役者も同じです。役者がシナリオ通りに演ずるから芝居は成り立ちます。部分に過ぎない役者が自分の考えに従ってシナリオを無視して勝手に演じていたのでは芝居という全体は成り立ちません。家族が勝手に動くと家庭は崩壊してしまいます。度を過ぎなければアドリブが芝居に活気を与えることがなくはありませんけれども。人は、社会という舞台の登場人物で、それぞれ与えられた台本通りに行動することを期待されています（役割論）。人の行動は、類型化された期待に対する類型化された反応と言えます。社会の中に位置するとは、人を制約し強制する諸力との関連で自分の立ち位置を分かることで、それがとりもなおさず生きるという事です。人は社会の中で俳優のように演技している、演技するものだ、という観点から人々を観察する方法をドラマツルギーといいます。

生物は無機物の結合した細胞の集まりであるが、細胞は無機物とは全く別の新しいもの（命あるもの）になっています。生物は細胞(部分)が単に寄り集まったものでなく、個々の細胞の「総体プラスアルファ」的な存在です。細胞も命あるものですが、その集まりである生物は細胞と質的に違う命を持ちます。結合によって質の違う命が生まれます。人間が無機物を如何に結合させても生物は生まれません。命を生み出す結合方法が分からないからです。

要素とその要素間に成り立つ関係を基にして要素集合の性質を理解するというのが還元主義的な科学の常道です。要素から出発してシステムという全体を理解することを積み上げ型（ボトムアップ）思考といいます。どの物も残りの物と互いに結び合わされています。その結ばれ方を基礎に（視点として）理解されなければその物の真の理解には至りません。画家のブラックは「わたしは物を信じない、関係を信じる」といっています。

あらゆるものは、他者との相関的な関係において存在し、その関係の中でのみ現実的な考察の対象となりえます。部分の総和こそが全体的なコンテクスト・流れを成す。すなわち、ある出来事がどんな意味や関係性を持っているかを具体的に表現するには全体的流れの内で考えるべきです。統一性における変化と変化における統一性という同じような過程が、あらゆる場面において働いているということです。団体競技のことを考えればこのことはよくわかります。たとえば野球でピッチャーはピッチャーの、捕手には捕手の、野手には野手の役割があり、各人がその役割を果たすから野球は成り立ちます。他のスポーツでも事情は同じことです。それ自体が完全性を備えている個々のモナド（多）である選手が集まったものが宇宙というチーム（一）です。全体的なものの予定調和とは、部分同士が互いに内的な関係を持つことを不可能にするかに見える対立を解消するものです。

各要素が同等の資格であるのではなくて、有力無力・強弱といった自ずからなるランク付けはあります。そしてそういった関係は固定したものではなく流動的です。全体たとえば社会システムを支えるメカニズムには、諸部分間の相互依存と均衡の二つがありますが、システム内の相互依存は不変というより、変動的でそれほど強くはなく、各部分は機能的な自律性をもっています。ということは、ある部分が自らの存続を目指すことにおいて他の部分に依存する程度は低いことを意味します。すなわち、社会システムは、諸部分の相互依存の均衡体ではなくて、機能的自律性をもった諸部分からなる均衡体であるということになります。全体と部分、部分と部分のあいだには必然的に生じる矛盾や緊張のため、常に変動へ向かったエネルギーが潜在しているし、矛盾や緊張対する対応も内部に秘めているものです。部分と全体は、それぞれの生き残りをかけて戦略や戦術をもって対しているといえます

世の中が進んできて、知識が増えると全体を包摂することは難しくなり、どの分野でも細分化ということが起こってきています。ある意味で止むえないことですが弊害も避けられません。医学では昔から内科、外科、耳鼻科、産婦人科などの分科が見られますが、分科のさらなる分科たとえば内科がさらに臓器別に分かれてきて胃腸を見る消化器科、心臓を見る循環器科などに分かれますが、消化器科の医者は心臓のことはよくわからないということが起こってきています。医学という全体の高みから見る、全体を媒介にして各部分に戻る作業が出来なければ自分のことしかわからない蛸壺（たこつぼ）医学に陥ってしまいます。医学や内科という全体があるから内科や消化器内科という部分も生きてきます。医者なら何を専攻しても医学全体が分かっていなければ職責を全うすることは困難になるはずです。歴史学もAの歴史Bの歴史CのDのと、細かくなって、部分に詳しくなっても世の動きという全体が見えにくい歴史学というものが成立してしまっています。各人が全体の一部しか知らず、しかもその一部を全体と錯覚してしまうから、全体に

ついての適切な観念である歴史観は彼から離れてしまいます。なんの歴史を研究しても、その歴史を通して全体というか人間や社会の移り変わりというものが見えてこなければ、歴史を研究する意味がなくなります。全体に目が配られていない部分は死物にすぎません。

全体と部分に相当するものとして普遍と特殊がありますが、特殊は普遍の一部でなければ特殊としての意味がありません。普遍に含まれるから特殊であり、普遍がなければ特殊は色々なものがバラバラな集まりに過ぎないで，普遍の外に在っては何ものでもありません。理性の項で述べたように、愚かな人間という普遍のなかにあってこそ特殊である理性も価値があります。全体と部分と似ているが意味合いの違う表現に外延と内包があります。事物の本質を捉える思考の形式を概念といいますが、事物の本質的な特徴を概念の内包といい、概念は同一の本質を持つ一定範囲の事物である外延にも適用される。いいかえれば、概念のおよぶ範囲（外延）に属するものが共通に有する性質を内包といいます。たとえば、人という概念の内包は人の人としての本質的な特徴（二本足歩行者、理性的、社会的である等）であり、外延はその特徴を持つすべての人。

ある出来事があって、そこに関わっている人々が為すその出来事（部分）は表面的にはそれらの人々自体が原因で起こっているように見えるが、実際にはその出来事を取り巻いている社会という全体・場面の中から出てきています（機械論）。どんな行為にも、それを突きうごかしている法則性という全体がその背後に控えている。たとえばある人が自殺した場合、その背後にたとえば不景気という時代状況（全体）が控えています。不景気は全員に働きますが、その中で特に弱い人（部分）に集中的に作用してその人が自殺に至るという考えです。機械論とはあらゆる現象を機械的運動に還元して説明できるという世界観です。出来事はそれが発生するコンテクスト（前後の文脈）の中に組み込まれて初めて説明可能になるというコンテクスト論も同じようなものです。

全体というまとまり・集団の中に居るものより、その外に居るものの方が中に居るものよりその全体のことが善く分かることがあります。中のものは自分のことで頭がいっぱいで目にヴェールがかかってしまっているからです。内部の者には悲劇であっても部外者には喜劇に過ぎないこと、あるいは逆も、いくらでもあります。もちろん中に居なければ分からないことは沢山ありますけれども。

全体と部分について深くかんがえたのがライプニッツです。世界のうちの存在者、すべての実体（それ自身の力によって在る物、個体的実体）をライプニッツはモナドといいました。モナドは力・作用を実体化した術語で、広がりも形もない実体で、それが無数に集まって宇宙ができています。モナド相互間には（神によって定められた）予定調和が成り立っています。それぞれのモナドは相互に識別され、しかもそれ自体として区別される。「個体の概念は、その個体に帰属する術語の一切をふくみ、そのことで他の個体の各々を映している」。世の中の個々のできごとは全体に対する部分、マクロコスモスに対するミクロコスモス、として理解されています。個々の出来事はバラバラに起こっているのではなく､互いに差異を持ちながら他と一体をなしている。

全体と部分を分けて考えることは無意味である、全てを統べるものだけが存在する、という考えも根強くあります。万物斉同。紀元3世紀の新プラトン主義哲学者プロティノスは、すべてに超越する神的「一者」から万物が流出し、その一者から遠ざかるにつれて存在の完全性の度合いが減るとしたうえで、すべてのものが透明で光り輝いているがゆえに「一つのもののなかにすべてのものが映り込み、全てのもののなかに一つのものが映り込んでいる（一則多　多即一）」。部分と全体、自己と他者といったあらゆる対立、あらゆる区分が消滅してしまっています。部分は全体であるとともに全体は部分である（一即全にして全即一）。

井筒俊彦はイスラム哲学を解説しながら、意識と世界はともに表層から深層に至る多層構造をもち、深層である意識や世界の奥底は、意識と世界が共に滅し去ってしまうような超越的な存在（意識のゼロポイント）が現れ出るような場所である。プロティノスの一者からもっとも遠いところに相当する表層・自然界では事物ははっきりした境界線をもち差異をもって分化し固定しているが、一者に近い深層ではすべてが流動的で渾然一体となっている。荘子の混沌、老子の無。

3．社会──他と共に生きる

・人間は社会的動物である（アリストテレス）
・社会とはそれ独自の現象で、自然の現象のように客観的な存在であって、客観的な事実性としてわれわれ自身の外部にそびえている（社会実在論。これに対するのは社会唯名論）
・現実社会は、自明のものではなく学習し構築されるものである。現実は、人間が解釈し意味づけをしなければ現実にならない。社会的現実とは、人間の知識に媒介された構築物である
・社会とは自動的かつ自発的に動いているオートポイエティック（自己創出的）なシステムである（ルーマン）
・どのような社会でも、それがうまく機能するためには、その成員がその社会あるいはその社会のなかでの特定の階層の一員としてなすべき行為をしたくなるような性格を身につけていなければならない（E・フロム『自由からの逃走』）

人びとが集まって共同生活を営んでいる世界を社会といい、社会は単なる人の集団ではなくて、要素である社会の成員・人々が有機的に関係しあい全体としてまとまった働きをする集合体・システムで、人間の総和以上の独特のものです。社会を個人の単純な集まりと理解したらとんでも

ない間違いを犯すことになります。社会を人間の身体とすれば、そこにおける個人は細胞にたとえられます。身体を構成する細胞である人々が関係を持ち合うことを社会化といい、社会があるのは社会化の結果です。社会は人間が創ったものであり、それ以外の何ものでもありません。しかし、社会は絶えずそれを創った人間に働き返すという弁証法的な関係にあります。あなたやわたしといった人間はさまざまな関係の結び目であり、重要なのは自分が結ばれている相手だけなのです。何かと結ばれるためにはその何かに関与し参加し、相手を受け入れおのれを与えなければならないのです。

社会の示す現象は社会全体の内にこそあり、社会を構成する素材をいくらこまかく分析しても分かりません。それは、あたかも水の流動性や滋養性などといった性質・総体は水を構成する分子（水素と酸素）の内にではなく、分子の結合によってできた合成物質・総体である水うちにあるのと同じです。人間は60兆個の細胞からなり、細胞は分化して2~300種類の組織（皮膚、神経など）、組織が集まって心臓や肝臓といった臓器を造っていますが、細胞と組織や臓器はまったく異なった働きをしています。細胞が個人に組織や臓器が、そして人間が社会に相当します。物の属性とは、その物が別の物に働きかけるありかたです。現実は相互作用の網の目であって、相互作用無くして属性もまたありません。

個人や集団の意図と別のものが現実の社会を作ります（潜在的機能の実現）。たとえば、ウェーバーは、資本主義の起源をプロテスタントの信仰心、世俗内禁欲にあると位置付けました。自分はただ神のために神の道具として生きていると信者が思ってそれに徹する、そうするとそのことが意図とは無関係に、結果的に資本主義の実現をもたらした、という説です。信仰（世俗内禁欲による精神の安定）を顕在的機能とすれば、その本筋から離れて実現してしまった資本主義は潜在的機能ということになります。

前述のように自殺は失業や失恋などが原因と考えられますが、失業や失恋しても自殺しない人の方が圧倒的に多いのをみても分かるように、「かれらを最終的に自殺に踏み切らせるのは失業や失恋といった個人的事情と離れて、それぞれの社会には人を自殺に駆り立てる一定の効果をもったある集合的な力があって、自殺はそうした社会状態の結果。すなわち自殺は社会状態の反映である（デュルケーム）」。内面・心の問題を回避して自殺はすぐれて社会の問題であると結論しています。また、阿部定事件が戦前期の暗い世相に一種の娯楽的効果をもたらしたように、犯罪はその被害者はもちろん当の犯罪者も意図しないような何らかの有用な結果を社会にもたらすこともあると言ってもいます。合理性だけでは行為の説明はできません。社会や集団には非合理的な感情が付きまとっているが、神はこういった人間の感情が付着した社会の象徴と言えます。

宗教の誕生や消長こそが社会の反映。

社会は諸個人の結合によって形作られた集合として捉えられ、その集団に特有な信念・性向・

慣行といった固有の性質を備えたシステムをなし、このシステムはそれ固有の諸属性を備えた独特のもので、社会的事実として現れます。「社会的事実とは、その固定性に関わりなく個人に外的拘束をおよぼし得るあらゆる行為様式のことで、それは、その個人的な表現から独立したそれ自身の存在性を持つ、その社会に一般的に広まっているあらゆる行為様式である（デュルケーム）」。社会の理解は、個人や個人の心理には還元されないから、社会を考察するとき個人をもとにすれば集団の中に起こることは何ら理解されなくなります。各個人の行動を知るには社会を自律的にしているその固有の法則の理解が必要になってきます。システム（全体）とは、複数の要素（部分）が有機的に関係しあい、全体としてまとまって機能を発揮している要素の集合体のことをいい、ある種の秩序です。と同時に、その秩序によって維持される相互に連関する諸要素（部分）の間には独特の関係性がなければならず、ただの集合ではシステムとは言えません。システムには、それをまとめ維持するなんらかの力があり、そういった力がなければ全体としてのシステムは成り立ち得ません。社会的事実に似た言葉に日本でよく使う「空気」があります。極端に言えば理非を超越した逆い難いその場の雰囲気のことです。「空気が読めない」のように使われます。

　ものがたくさん集まると「量が質に転換」して別のものになります。全体とは部分の総和と同じものではない。それは総和とは別の何ものかであり、その属性は全体を構成する諸部分が示す属性とは異なる。集団（社会）はその成員が個々に孤立して行うのとは全く違った仕方で思考し感覚し行動します。

社会は、人々が集まって生きている結果としてできたものですが、そうして作り上げられた社会は意識のなかでは外的な（自分の外に客観的にある）社会であり、それはある意味で個人と対立する、必ずしもその個人が思った通りの社会とは限りません。言いかえると、個人は社会での生活の結果自分の内外に他者性（よそよそしさ）をもっています。個人は共同体である社会の制度に従って生きています（社会化した自己）が、個人にとって望ましい社会と作り上げられた外的社会とは対立しながら対話するという弁証法的な関係にあります。

個人と社会という二つの階層（構造）の間には創発という非線形なフィードバックが働きます。どういうことかというと、下部階層である個人の自由な運動が上部階層である社会の全体的なパターン（社会状況）を生み出し、そしてまた上部のパターンが下部の動きの条件としてフィードバックして個々の運動を間接的に支配しています。創発とは前述したように進化論における理論で、進化の途中でまったく新しい種類が出現することを言います。それは次のように展開します。自然界には素粒子に始まって原子、分子、細胞、生物から社会まで幾重もの階層がありますが、任意の相接する二つの階層間には非線形なフィードバックという創発が働いているというのです。

社会状況は、行為者間の意味という網の目によって維持されています。社会は、社会的役割の網の目としてあり、各人の役割はその担い手の責任を果たすとともに、責任逃れの口実を探しながら日々生きているとも言えます。舞台上の役者たちが、座長の設定するあらゆる外的強制と役割それ自体に由来する内的役割に束縛されていますが、それにもかかわらず、役者自体にも選択の自由もあります。熱狂的に演ずる、イヤイヤ演ずる、距離を取って演ずる、ときには演技拒否、などなど。すなわち社会とは、その成員という個性的な演技者たちの協力という不安定な土台の上に、形を与えられています。

生物が単一体といえるのは、各臓器間さらには細胞間にさえも活発な相互作用が認められ影響をおよぼし合っているからです。社会は個人と同じように、それ自体で完結したものでもなければ、絶対的な単一体でもありません。社会はその各部分の相互作用に比較すれば単に全体を緩やかに包んでいる二次的なものにすぎません。実在論も有名論も結局するところは、同じようなことに対する見方の違いに過ぎないと思います。

人は他者との相互作用という弁証法的な関係において社会的に形成され展開される動物です。人間は子宮外胎児期とでもいうべき期間が一年近くあって、身体が環境との相互作用の中で完成へ向かいます。人間への成りかた、人間としてのあり方が、人間の文化と同じほど多種多様である、すなわち人間は自分自身を作り上げる動物といえます。人間の身体がその環境（自然的、社会・文化的）との相互関係の中で発達してゆく時期は、同時にまた自我が形成されてゆく時期でもあります。人間は一つの身体であると同時にひとつの身体を意識している、すなわち人間は身体を一つの統体として意識する、意識できる動物です。身体であると身体を持つとの中を人はさまよっています。

社会システムは個人に外的拘束を及ぼすあらゆる行為様式のことです、社会は同心円をなして円の中心に位置する個人に対して外から無形の圧力を加えています。その圧力は、個人から独立したそれ自身の存在性をもっています。圧力円のもっとも外側の帯に政治、法律といった強制力を持った制度（たとえば国家）があり、それに反する者は警告から死刑に至るまでさまざまな罰を受けます。その内側に道徳、習慣などからなる共同体の帯が位置していて、それは自然に学ぶもので普段は空気のように在ることが感じられない程度のものです。法的な強制力はないものの、これに逆らおうと試みた途端ここからの圧力ははっきり姿を現し牙をむいてきて、反抗者はさまざまな制裁を受けます。たとえば属するグループの習慣に反する不道徳な振る舞いをする人はそのグループからいろいろな程度に、よそよそしい扱いから村八分まで、排除されます。さらにもっとも内側、同心円の中心に位置する個人のすぐ外側にあるのが親密な領域の人々で家族とか友人ですが、そこからも有形無形の圧力ないし制約を受けています。システムという円の中心に点的に位置する個人はそういった風にシステム全体から強い圧力を受けています。この無形の圧力を前述の空気（山本七平）といい、それを感じることが「空気を読む（KY）」。社会的事実を構成するのは、集合として捉えられた集団の信念、性向、慣行です。

a．社会学

・社会学者が多くの時間を割くのは、見慣れた経験の世界である。それは見知らぬものに出会うときの興奮ではなく、見慣れたものの意味が変容するのを知るときの興奮である（P.バーガー『社会学への招待』）

人々が関係しあうことによってできる、あるまとまりをもった集団を社会といいます。蜂や蟻に、あるいは哺乳類の群れに典型的なように、動物にも社会はあります。意志とは無縁と思える植物にすら群生がみられ、生物とは社会をつくるものといえます。いろいろな意味で群れをつくった方が都合よいのでしょう。

多くの人々が集まってできている社会は放っておけばカオス・無秩序になりかねないが、それがどうしたら秩序だったものになりうるか、その秩序はどうしたら維持されるか、人間社会を理解するにはどうしたらよいか、などを研究するのが社会学です。「社会学の対象は社会的行為である（マックス・ウェーバー）」。ここでいう行為とは個々の人によって考えられている意味、行為者が自分の行為に結び付けている意味のことです。すべての意味が対等という訳ではなく、他のすべての意味領域の前提になり根源になっている意味領域が日常生活が営まれている世界で、「日常生活世界こそが究極的で至高の現実（シュッツ『社会的世界の意味構成』）」。

社会学は19世紀中ごろのコントの造語ですが、学として確立したのは19世紀末から20世紀初頭へかけて、ともに1858年生まれのジンメル（独）やデュルケーム（仏）らによるもので、古代からある自然学、哲学、歴史学などに比べると新しい学問分野です。社会は、仲間との不断の関係を構築する非物質的文化の一側面で、いかなる時も集団的な企てであり、現実はつねに社会的なものです。それまで社会というものが研究に価するとは思われていなかったのです。

「社会は意識の中に在るだけではなく、物のように実在するという考え方を社会実在論といいます。個々人の相互作用が単に彼らの主観的態度や行為の中に存在しているというだけでなく、個々の成員からある程度独立した客観的な構成物が作り出されているとき、その構成物は真に社会といいうる存在である（ジンメル『社会的分化論』）」。社会に参加している行為者たちによって、その社会状況にもたらされた彼らの主観的な意味・意図・解釈のすべてを考慮に入れなければ社会のことは解らない、実在するのは個人または個人間の信頼関係、闘争関係などといった相互作用だけであるという主意主義的な考え方もあって社会唯名論といいます。「諸部分の関係や活動（という相互作用）がまずあって、それに基づいてはじめて社会という単一体が生まれます。

社会的性格とは、同じ社会集団（階層）に所属する人々に、社会的にすなわち経済、歴史、文化的に形成され共通する性格で、時代性と階級制が刻印されています。それは、江戸時代の武士や農民などの階級差、あるいは国民性や県民性といった言葉に見られます。よく機能すれば社会の必要性を内面化し人間のエネルギーをある一定の方向へ向けるもので、社会の構造との間に一定の均衡が保たれるならば社会に貢献的に働きます。プロテスタントの勤勉、禁欲といった性格は資本主義の初期段階ではウェーバーが指摘したように時代を先へ進めました（『プロテスタンティズムの倫理と資本主義の精神』）。逆に、マルクスが明らかにしたように、社会的世界の現実を作り上げる人間的な豊かな行為の表現が、近現代においては意識の中で非人間的で生気や意味の乏しい事物（物象化）になってしまっているのが資本主義社会の病です。物象化とは、人間的な諸現象があたかも物であるかのように理解されることで、人間の諸能力や人と人との関係が、商品や貨幣などといった物の属性として評価されることをいいます。人間という行為者が単なる物に落ちぶれてしまっていて（疎外）、生産者は生産物としてしか理解されません。そこで労働者に反抗を勧めたのがマルクス主義でした。

人と人あるいは人と物の関係がよそよそしい状況にあることを疎外といいます。古くからある言葉ですが近代になって独特な意味を付与されてきています。すなわち人と世界とを結ぶ関係、対話的な往き来で成り立つ弁証法的関係、が意識の中で失われることを意味するようになったのです。たとえばヘーゲルは、精神が自己を否定して自己にとってよそよそしくなっていることを疎外といい、それを敷衍してマルクスは、人間が自己の作り出したものである生産物や制度などによって逆に支配されている状況、すなわち資本主義社会において、人間関係があまりにも利害打算的な関係になり人間性が失われてしまっている状況（物象化）を疎外、と言っています。見方を変えると、疎外は社会を物とみる客体化プロセスの行きすぎを指します。この世界が、人の協力によって作り出されていることが、人為的・文化的な世界は自然界と基本的に違うことが、忘れ去られている事態です。人間的な意味の豊かな行為の表現が意識の中で非人間的かつ生気の乏しい事物（物象化）の閉鎖的なものに、成り下がっています。これは欺瞞です。疎外された意識がこの欺瞞性に基づくものである限りそれは「虚偽の意識である」。疎外された世界は、そのあらゆる面で意識の、とくに人為的・文化的な世界と自然界の違いがあいまいな、虚偽の意識の現象である。

資源・工場・機械や労働者など物から知識・情報・金融といった事（モノからコト）へ社会の重点が移行した現代資本主義社会においては、急激な社会変動から取り残されたたとえばトランプ党やヒットラー党の肉体労働者のように社会に適応できないで、欲求不満を先鋭化させてその社会に対して敵意を肥大化させる傾向がみられます。そこでは、強い指導者への隷属、強制的な画一化・万人平等への希求が認められます。E・フロムは「自由からの逃走」と喝破しました。

社会とは、愚かな人間が作っているものだから本来的に不安定な構造であることを運命づけられています。その不安定な構造を支えるものが必要で、合理性だけでは、利己的な人間の社会・国家へ忠誠心は説明できません。国家が正当であるという非合理的信念こそが国家という独自なものを作り維持させます。社会学的な考えのはじまりといえるのはホッブスの社会契約説です。人間には生存権や自由権があるから、おのずから「万人の万人に対する戦い」となる。だから政治体を作って、そのつくる掟である法律に従うことによって平和的に暮らす、政治を媒介にして他者と共存できる、というものです。利己的な人間であっても、国家を媒介とすれば自ら定めた法に従うことが可能になるという洞察が社会契約論の核心です。

社会という全体が崩れることなく、維持されるのは何によるのでしょうか。パーソンズは、ひとつの社会システムを維持するのに必要な条件を整理してAGIL図式を提出しました。Aとはadaptation適応で、内部の物を生存させるために外部世界から栄養、情報などの資源を調達しそれらを消費して外へ出す（排泄）という外部に適応していく機能で、いってみれば経済です。社会はそれを取り巻く外部世界に適応する必要があります。Gはgoal attainment目標達成で、集団の目標達成のために部分・人を動かす機能すなわち政治。目標は人により社会全体によって違いますが、とにかく目標は必要です。Iはintegration統合で、社会にはその内部にさまざまな方向に分化した構成単位を抱えていますが、それら単位間のつながりを確保し統合する必要があります。「連帯がなければ社会はない（デユルケーム）」。部分を統合して勝手な行動をさせない機能のことで法律。さいごのＬは latency 潜在性で、コンピューターにおいてソフトがなければハードは動かないように、陰で現場を支えているもので、AGIL を可能にする潜在的な動機付けとなる文化とか教育などです。もしこれらのうちどれかの機能が阻害されればその社会は深刻な打撃を受けると考えられます。持続可能な社会には AGIL 図式という構造が必要であるというパーソンズの説は構造―機能主義といわれます。機能主義とは、ものを何らかの実体として静的・固定的に捉えないで、その働きにおいて動的・過程的に捉えようとする立場です。社会学上の機能主義はしたがって、社会を動的なシステムとして捉え、人々の社会的行為が社会の維持・安定にどのように作用しているかを明らめようとするアプローチをいいます。

社会学の一分野に知識社会学があります。人間の知識によって現実が、〇〇であるとして意味づけられ、そのことを現実の外在化といいます。外在化して構築された現実は人間主体とは独立して存在・外在し、社会的事実という個々人の意識を超えた集合意識が生まれます。習慣や法律などなんらかの規範（ルール）にしたがっていますが、その規範は自分とは関係なく社会の方に存在しています。このように個人の外側に在って、強制力を持っている規範がデユルケームのいう社会的事実で、礼儀作法、道徳、習慣、法律などを指します。流行もそうかもしれません。このように社会的現実が、個人・主体と独立して存在する物のように現れることを、客体化といいます。客体化とは人間の考えが物の世界へ変わってゆくことと言えます。

現実は人が解釈し意味を付与しなければ現実にはなりません。現実とは、純理論的に考察されたものではなく、知識を生み出すところの歴史的・文化的諸状況の具体的な仕組みで、その中で考えないと理解することはできない、現実は知識に媒介された構築物であるという立場です。その知識がどのようなものであるかによって社会の見方も変わってくるのは当然です。ここで言う知識とは孤立的・抽象的なものではなく、常識的な知識のことです。社会とは自明のものとして他から与えられているのではなく、眼を開けなければ物は見えないように、社会も自分で自分の能力で発見するもので、その発見はその人の知識に依存します。現実とは、実体的な実在でも先験的な・アプリオリな所与でもなく、多元的な領域からなる意味の秩序として、知覚のフィルターを介して主観的に捉え構成されたものにすぎません。

世界は素朴な実在ではなく、純粋な意識の流れの中に現れたものです。一方に人間が居て他方に社会という現実があります。人間の意識・価値観・願望などといった知識に媒介されて見えてくるものが現実社会(の姿)で、それは個人の外部にリアルな世界となって現れてきます(外在化)。その現実は人間に対して客観的な力をもっています。生んだ当の人間たちにとって自分の外部にあるものとなります（対象化、社会学でいう制度化)。そして客体化された社会的世界は今度は逆に意識の中に投げ返され、意識内に現実の地位を獲得します（内在化)。規範・制度はふだん目に見えませんが、それに逆らうと突如目を剥いてきます。制度は一つの客観的事実であり、個人が生まれる前から彼には否定しえない事実として彼の外部にあって、死後もあり続けます。制度は外部から見ると「正しいという理由で強制的に」ふるまいます。

創造者である人間と創造されたものである社会は、相互に作用しあうという弁証法的な関係にあり、それは外在化、対象化（客体化）および内在化という3つの過程をもちます。言い直すと、1．社会は人間の外部に人間が創った産物である（外在化）。2．外在化によって見える社会は客観的（物的）な対象となる（対象化・制度化）。3．対象化されたもの・制度を自分の意識の中に取り込み、それを主観的な現実とする（内在化）。内在化は対象化された社会・制度を意識のうちに取り込み主観的な現実とする働きと言えます。わかり易くいうと、社会と人間は一心同体であるが、とりあえず社会と、それを作っている人間とは別のものであると対象化して物として見ると社会のことがよく分かります。たとえ話で言いますと、ワインは人がブドウを醸造して作ったもので人間の外部にあります（外在化）。それを見ている（客観化）だけでは作った意味がなくて、呑んで味わわなくては（内在化）作った意味がありません。しかし、そこに止まらないで、こんどはそれを人間の血肉とする内在化によって、社会と人間は作り作られる真の一心同体となる。内在化を客観的に妥当で、主観的にも納得のいくものにしていくのが政治・道徳・宗教などの正当化装置です（バーガー『聖なる天蓋』）。

正当化とは、行いが正しく道徳的であると認められるようにすることであって、その始まりはわれわれが経験すること（行い）を言葉にすることです。言葉によって対象化することのなかに正当化のための説明図式はあります。そして最終的には現実の秩序を象徴する全体性にその言葉を包み込んでしまって正当化は完成に至ります。象徴的世界とは社会的に客観化され主観的にも現実的にも意味あるものとなっている世界のことです。現実世界における経験は包括的な意味の世界（象徴界）へ組み込まれて正当化されます。正当化の意味は、そのもっとも深いところで死を社会的に正当化するところにあります。死を当人にとっても社会にとっても納得できるものにする、現実世界を蓋っている象徴的世界の中に統合することです。

米はそのままでは単なる米にすぎませんが、炊けばご飯に、蒸して突けば餅になります。同じように小麦はパンに、ブドウはワインになり、見た目も味もまったく別のものになります。そのように、多くの人がバラバラでいるのではなくある方法で結びつくと米やブドウの総和とは明らかに別の社会すなわち餅やワインが形成されます。社会・ワインは人によって作られながら、逆にその人やブドウを作ってもいるのです。ワイン（社会）の出来具合によってブドウ（人）は改良されます。個々人に担われながらもかれらから自立して実体的な統一体としての社会があります。

b. 社会関係資本（ソーシャル・キャピタル）

・あなたの隣人をあなた自身のように愛せよ（イエス・キリスト）
・この世に独立した存在というものはなく、すべてはそれが宇宙の残りのものと結び合わされている仕方を視点として理解されなければならない（ホワイトヘッド）
・人は他（他人、共同体）に受け入れられることによって、一人でいる時には想像できないような力を獲得する
・社会から離脱すること（規範喪失、アノミー）は、その人に対して非常に大きな脅威となる
・世界は本質的には独立した存在体、自律的な事物の集まりではなく、一連の関係的諸体系である（カッシーラー）

人は一人で生きているのではないし、もちろん生きられません、社会の中で他者達と関係しながら生きています。人間のつくる社会に、世界の装置そのものである社会や歴史・文化のうちに生きています。日常生活は、他者とともにある、共有されている間主観的な世界であって、私の意味と他者の意味は不断に相互に反応しあうという照応関係にあります。世界は自然的であれ文化的であれ、ある一個人の主観の見方による私有物ではなく、多くの人々の主観が共有していて、その事実を間主観的現象といいます。

個人は、最初から社会の一員として生まれてくるのではなく、いろいろな時間的な機序を経て社会へ参加してゆくことになります。この機序の出発点は内在化です。内在化とは前述のように、社会を客観的に見る事ができて、その客観化・対象化された世界を自分のこととして理解し解釈できることです。言い換えると、世界と自分のまわりの人々を意味ある一つの現実として理解することによってその社会は自分の世界になります。この内在化を終えたとき、個人は初めて社会の成員となる、社会化の成就といえます。

ヨーロッパの歴史的な発展過程をもとに、社会における個人の性格（社会的性格）は三つに分類されています（リースマン『孤独な群衆』）。1. 伝統指向型：ルネッサンスや宗教改革によって長く続いた伝統が壊れる前の、伝統に従うことによって同調性（周囲の人たちと同様な行動様式をとる性向）が保証されます。そこでは、社会的な規範と自分の間に調和を感じることができるので、行動選択の範囲は極めて狭く、ほぼ決まっています。そこから逸脱することは恥とされる。2. 内部指向型：伝統文化の束縛が崩れてきて、伝統に頼ることなく個人の意思が重んじられ、進む方向の推進力が「内的・自分で生きる」。幼小児期に親や教師からセットされた羅針盤を内面化することによって同調性が保証されています。人生とは自分で選ぶという進取の気象や努力崇拝。生きていく上で個人の選択できる目標がグンと広い範囲から選べます。怠惰は敵で、典型的には、遥か彼方の星を目指して歩む。そのコースから外れるのは罪の意識を伴います。3. 他人指向型：伝統指向型と同じように、ひとりで生き抜いていく力は乏しく、最重要事は人々との関わりで、周囲にレーダーをめぐらしてさまざまな情報を収集、悪く言えば情報に振り回されている現代人に特有な型といえます。他人を如何に上手に操りかつ操られるかという才覚が重んじられ、身つけた技能より自分自身が売り物になる。

この三つの型は時代を色濃く反映してはいるものの純粋な型は少なく、たとえば伝統から独立した内部指向型とか他人指向型はあり得ず、あるのは混合型で、どの型が優勢かだけです。なお、リースマンはどの社会にも見られる適合の様式として適応型、自律型、アノミー型を挙げていています。適応型は同調に当たって努力を必要としないで自然に同調している、自律型は同調能力を持ちかつ同調についての選択権をもっている、アノミー型は同調能力がない。これらの分類は分裂質や躁鬱質などクレッチマーのいわゆる性格分類とは違います。

社会的世界に住むことは、秩序だって有意義な生活を送ることにつながり、生涯を意味あるものにしてくれます。人生は、それが客観的な現実である社会的世界のうちに置かれるときにのみ、自分にも他人にも客観的かつリアルなものになってきます。個人は社会化されてはじめて社会的人間、どこそこのダレソレ、となります。人は、最初は親兄弟から始まって次第に範囲を広げてゆく他者たちと対話することによってその社会の人間になっていきます。世界は有意な他者との対話を通じて個人の意識のうちに構築されていきます。社会が秩序を持って動いてゆくためには様々な仕組み・システムがあって、個人はそのシステムの支配下にあります。社会はわれわれの誕生前からあり、死後も存続し続けます。

個人の現実は他人とともにあり、他人とともに何かをしてゆくことでしかありません。個人の満足は、本質的に他人のために自分を犠牲にして他人が満足するようにするという意味をもちます。それは自分に対する中で他人・共同体にたいする義務も果たされれば理想的です。われわれは一人でなにかをしているということはあり得ず、つねに何らかの意味で共同作業をしています。周囲に浸透し浸透され、それと一体をなしていると感じながら調和をもって前進する能力、生きることの共時性、と言うべきものがあります。

周囲とよい意味で関わりが豊かにあることを社会関係資本に富むといいます。社会関係資本とは、人脈や信頼関係に基づく社会や自分を豊かにする財産です。それには、同じ集団内のつながりを高める結束型と異なる集団の間をつなぐ橋渡し型とがあります。社会関係資本を生む要素は、家族を超えたより広い範囲・地域の人たちとのネットワーク、地域内の成員との信頼関係、普段からお互いに助け合ったりする互酬性の精神などです。要するにつながりを求め深めようとする不断の努力です。単独者というものは実際上あり得ず、人はいかなる時でも他者の存在を意識しながら生きて、つねに他者と交流し、そこには緊張とある種の拘束が成り立ちます。

動物は胎児のうちに出来上がった完成品として生み出され、生れ落ちるとすぐ歩き出すようにすぐその環境に移れます。しかし、人間はなぜか未完成品として生まれ、生後もしばらくの間、親の庇護の下で教育されながら現実社会に適応してゆく動物です。子供は社会とは何かということを習得する過程で自分は誰かということを発見します（ミード）。遊びにおいてこそ、そのことが存分になされます。人は他者との関係において形成され展開される、鏡としての他者によって自己を知り、知らされる動物です。他者との関連を役割取得といいますが、子供のころの親兄弟との関係、ままごとなどの仲間とのゴッコ遊び・ゲーム遊びなどを通じて他者の期待に応えてゆくようになります。具体的には遊びのルールを取得することです。こうして他者の期待に応えてゆくことによって自我を形成し発達させてゆきます。自我は社会の服装を着せられて社会に染まってゆきます。しかし、染まりきる（社会化過剰）のではなくて、自分自身と他者の解釈という相互作用を展開し自我を完成させます。この過程において他者の期待が修正されてゆきます。役割取得による形成される自我に二つの側面があり、それを客我（Ｍｅ）と主我（Ｉ）と言います。客我は他者の期待をそのまま受け入れた社会化過剰の自我、主我は客我に対して働きかけ変容させる創発的な側面をもつ自我です。他者の役割取得を学ぶことは一生続き、社会が望むような役割人間（社会という舞台で役割を演じる俳優）が創られ、最後は社会が望むように人間は死んでゆきます（ミード『精神・自我・社会』）。

「人間は鏡をもってこの世に生まれてくるものでもなければ、わたしは私であるというフィヒテ流の哲学者として生まれてくるものでもないから、人間はまず、他の人間のなかに自分を映して見るのです。人間Ａは彼と同等なものとしての人間Ｂに関係することによって、はじめて人間としての自分自身に関係する(Ａは人間としての自己同一性をＢによって確立する。またＡにとってはＢの全体がそのＢ的な肉体のままで、人間という動物の現象形態として認められる。Ａは人間の代表と目されるＢとの関係によって初めて人間となる)」。マルクスの『資本論』の中でも有名なフレーズのひとつですが、要するに、人はまず、他人の中に自分を映して見るということです。最後の部分は、ＡはＢと関係することによってはじめて自分が人間であると認識できるということです。

何かに属しているという信念は倫理的躍動の忠実な反映であり世界がパッと開けることです。次第に広がる集団生活の形態に順次、段階を踏んで合体してゆきながら、しかも独立や自律をいささかも失わないという能力をもっている生そのものは、いつでも社会全体とともにあります。仏教では、あらゆる存在物は固有の自性を持たないで、縁起の理法によって相依相関しあっている、なにものも独立してはいなくお互いに関連しあっている、と説きます。18世紀英国の経済学者アダム・スミスは、人々の利己的な活動が神の見えざる手の調整作用によって経済を発展させる（『国富論』）と言いましたが、他の人のことを心にかけずにはおれないことが社会の繁栄に重要であるとも述べてもいます（『道徳感情論』）。

友人や仲間、大きくは社会といったお互いに助け合うものに恵まれていることがよく生きることの鍵です。よいソーシャル・キャピタルという繋がりによって新しい神経回路ができ、それが疲労し衰弱した神経細胞を補強ないし取って代わります。神経細胞は死んだらおしまいで再生しませんが、樹枝状線維がつながって細胞の死滅を補うし新たな機能を獲得することもできます。新たな神経ネットワークが構築されるような社会的関係を持つことの重要性は強調し過ぎることはありません。孔子さまのおっしゃった「有朋自遠方来　不亦悦也（『論語』）、の世界です。

4. 経済

世の中に最も影響を及ぼすのは人々の感情でしょうが、その感情を動かすのが経済です。経済学の考え方は、意識する・しないにかかわらず日常生活に広く深く関係しています。朝起きてから寝るまで、場合によっては夢の中でさえも、人は経済学的に得か損かを考え行動しています。

経済学を定義すれば、経済主体（行為する個人や団体）が少ない資源をどう配分するかの選択、その選択が社会にどのような影響をおよぼすかを研究する学問、あるいは、社会生活の基礎をなす財、サービスの生産、分配、消費の行為・過程並びにそれを通じて形成される人間関係の総体であるといえます。リア王は財産を三人の娘にどう分けるかを考えましたが、経済学的に最悪の選択をしてしまった、というのがシェークスピアの名作の発端です。

経済学の第一原理は最適化。人は実現可能な最善の選択肢を選ぼうとします。第二原理は均衡。均衡とは二つ以上の物や事の間に釣り合いが取れていること、そこから行動を変えることで利益を得ることはあり得ないという状態を指します。そして第三原理は経験主義といってデータを使って分析すること。

現代は、資本主義の社会といわれています。どういうことかというと、世の動きという物質代謝の大半が商品を介して、商品の生産・流通（交換）・消費を通じて行なわれていて、そこでは資本が増える、無限に増えることが理想とされる社会です。資本主義社会では余剰生産による余剰価値すなわち利益を出すことが至上命題で、そのためには生産性を不断に高めることが求められます。そういう社会に生きていることは、資本主義の価値観を内面化したような、感性が資本によって包み込まれた（毒された）人間になってしまうということです（スティグリール）。

21世紀に移るころから経済活動の主力が「モノからコト（肉体から頭脳）」へと移っています。物とは原材料や設備といった物理的なものでそれらを使って利益を生み出すこと、事とは知識・情報とか教育といった目に見えにくいものが利益を生み出すことをいいます。身体を動かして労力を提供して働くことから知恵を使って働く方へ移っています。人材育成が企業の根幹となり、知恵のある少数の人間がよく稼ぎ、多数派の極端にいえば肉体的労力しか提供できない者による稼ぎは少なくなってきます。

20世紀は、経済成長率（g）が資本収益率（r）を上回った（g>r）例外的な時代で、21世紀は歴史的に見て常態であるr>gに戻っています。20世紀のように、経済がどんどん成長した物的なg>r社会では多くの人に利益が分配できるが、事的なr>gだと利益は指導的な一部に偏ります（ピケティ『21世紀の資本』）。アメリカのGAFAに代表される情報産業においては携わる人の数は少なく利益は大きく、少数の人たちに利益はかたより、多数者の分け前は少ない。それがもたらしたのが多くの先進国で起こった中産階級の没落現象です。どんなに栄えた国や時代でも、その繁栄の行き着く先は格差の拡大、すなわち止める者はますます富み貧しき 者はますますまずしくなる、です。物も事もいつの時代にもあるのですが、物主力から事主力に重心が移動したことに依るものです。日本では「物から事」がうまく行かなかったための長期不況に陥っています。世界的にも、とくに西欧先進国で同じ現象がみられポピュリズムが栄えています。

経済学的思考力すなわち選択に関する素養を養うことが善き人生を歩むうえでとても大事です、と言ってもそれは極めて常識的なことにすぎません。すべての学問は常識的だから成り立つのです。

5. 文化・歴史・哲学

・人間の思想は、自由な社会空間の中で、自由に作られるのではなく、いつでも特定の位置に結び付き、そこに根を下ろしている（K・マンハイム『イデオロギーとユートピア』

同じ人間でありながら、日本人、インド人、フランス人、ヴェトナム人などでは考え方や行動様式がときに大きく違います。同じ日本人の中でも、たとえば東北と四国では違いがあります。あるいは、農民、工場労働者、公務員、商人、サービス業者などについても同じように言うことができます。それは彼らの社会の歴史や文化、思考法が違うからです。

われわれは、歴史的に形成された文化の中にどっぷりと漬かって生きています。衣食住をはじめとして日常的な所作でさえもが人間すべてに共通するのではなく、所属する文化圏の中で育まれたものです。ある社会に特有な身体の使いかた（身体技法・ボディー・ランゲッジ）というものがあって、子供のころから少しずつ学んで、社会の文化によって無意識のうちに作られていきます。人間は属する社会の歴史と文化に支配されています。

文化という言葉はドイツ語Kulturから出て世界中に広がった言葉です。人間が自然に手を加え作るようになった衣食住などの物心両面の成果一般を文化と言いますが、とくに芸術など精神的生活に関わるものを言い、技術や物質面を強調するときに使う英語civilisation・文明と区別されることがあります。文化はある志向を内に含んで方向づけられたもの、理想へ向かうものです。真の文化は、自分自身の心の奥底への内省や感激を含んでいなければならないとホイジンガは強調しています。

文化は人間によって作り出されたものの総体であり、その一部は物質的（建物、日用品、絵画等の芸術作品など）、他は非物質的（言語、社会的慣習・行動様式など）で、人間の生きている社会は非物質的文化の重要な部分です。社会は、仲間との不断の関係を構築する非物質的文化の一側面で、いかなる時も集団的企てであり、現実はつねに社会的なものです。思想・信念・知識などは、自分が生み出した固有なもののように見える時でも、その時代や地域の文化に決められています。たとえば贅沢は物の乏しかった江戸時代には悪として取り締まられましたが、資本主義の現代では悪ではなく経済を活性化するものとしてむしろ推奨されます。これらは、その背後の文化という社会的な条件に影響されているからです。知識そのものではなく、知識と社会の関係を明らかにしようとする学問を知識社会学といいます。

社会構築主義的な見方は、文化とヴァリエーションを強調します。現実とは、人間の社会的活動と独立して客観的に在るのではなくて、じつは歴史的・社会的に構築されたものという立場で、本質主義と対立します。人は、ある特定の歴史、社会、文化の元に暮らし、そのなかで何らかの価値を負荷されて初めて人たりうるし、なにかを求める資格が得られます。文化相対主義といいます。あらゆる文化は、独自の背景のもとに固有の体系をもっています。人は自分が考え行動しているると考えますが、じつはその自分の背後にあって考えや行動を支配している空気、文化、歴史などがあります。フーコーによると、人間の思考は真空のような場で自律的に展開するのではなく、ある時代や社会の知を支える台座（エピステーメ）に、要するに文化に依拠している、人間はつねにその社会に特有なある仕方で考えるよう誘導されている「時代の子」です。言いかえれば、人はブルデューのいうハビトゥス、ある社会階級のなかで生まれ育つことによって身体に染みこむ習慣性、に支配されています。ハビトゥスを身につけることによって、ある状況のもとで何をすべきであり何をすべきでないかがおのずと決まってくる「社会の子」です。

なお、社会的な条件の下で制約された偏った観念をイデオロギー（マルクス）といいます。代表的なイデオロギー的な言い方は「彼がそのような主張をするのは、彼の属するブルジョワ階級の、労働者階級のあるいは奴隷階級の考え方のせいであって、階級がそう言わせている」。あるいは男性だから女性だから、年寄りだからなどあらゆる認識がイデオロギー的であるので、敵対者だけではなく自分自身の発言もイデオロギーかも知れないと見なす謙虚さが必要です。こんなことを言うようになったのは年寄りだからなのだ、など。

人類が誕生して以来、無数の出来事がありましたが、それらを取捨選択して現在に残されたのが歴史です。人類が続く間は火を使った、言葉を話しはじめた、農耕が始まったなどは歴史として残り続けると思います。太平洋戦争は将来の評価がどうなるか分かりませんが原爆が使われたことは人類が続く限り歴史的事実として残り続けると思います。歴史とは何が重要で、何がそれほどではなく、何が無視して忘れ去ってよいかを判断し取捨選択することといってよいかとおもいます。「歴史家は、一般的な抽象理念たとえば自由、平和、啓蒙、進歩、文明などを考えだす。それこそが人間の運動の目的だと考える。だが歴史にそんな目的などありはしない（トルストイ『戦争と平和』）」。歴史とは、現状に生きる人々にとって重要なことだけで、そのことをE・H・カーは「歴史とは、現在と過去の間の尽きることなき対話である」といっています。

人間の生活は一つの有機体であって、すべての要素が相互に関係し（華厳宗のいう相即相入）、一つが他の要素を暗示し明らかにします。歴史も同じであって、過去の新しい了解（過去は常に見直されています）は、現在はもとより同時に未来の新たな展望を与えます。生きている時間と空間・場所をよくわかっていることは生きてゆく必須条件です。

ものを考えることを哲学といいますから誰もが哲学者ですが、日常的に使われるのは、うるさい人を揶揄って哲学者と決めつけるときくらいです。古代ギリシャでは知を愛することを哲学・愛知といい、物事とくに存在（何かが在るということ）を根本原理からあるいはなにかこの世ならざる自分を超えたものに頼って統一的に理解しようとすることでした。そういう検証されない直観ないし独断を形而上学といいますが、根本原理とか神の存在などが怪しくなった現代では流行りません。

6. 言葉

考えること、思考は言葉によって成り立っています。ことば（言語活動）無くしてものを考え行動することはできません。人間の社会と動物の社会が違うのは人間に言葉があり動物にそれがないからです。人間社会は、人と彼の社会に責任のある他者たちとの間に交わされる対話の中で生み出されます。ある国民たとえば日本人は、その話し書く言葉・日本語に支えられて、生活感情は元より、生活様式、習慣、風俗などがその国民に特徴的な日本文化の中で暮します。

ことば・言語は社会の動きを規範化し正常化している、人間の世界に意味すなわち秩序を与えているものです。規範化とは、日常世界を現実的にする意味秩序の総体を指しデュルケームに由来する術語です。言語は動いてやまない日常社会の流れに分節・区切りと構造を与えることによって規範化する、交通標識で赤が止まれ青が行けを意味するような、何かを指し示す記号で、人はそれを使って意思を伝達します。流れの一項目に名前が付けられる（命名）と、その項目は事実上その流れから分離されて、その名前どおりの実在として安定性を得ます。

ことばはその「意味するもの（音や字であらわされるイヌ、犬）」と「意味されるもの（実際にある、そこにいる犬〉」とを無理やり、恣意的に結びつけています。イヌという音と現実の犬の間には必然的な関係はなにもなく、イギリス人は同じ犬をドッグといい、幼児はワンちゃんといいます。フランス人は蝶も蛾も同じパピヨンという言葉で表しますので、蛾はフランスという場所には居るが、フランス人にとっては存在しないことになります。人間の思考は自分の属する社会や文化に無意識に支配されています。音や文字であらわされないものは存在しません。また、一つの言葉・記号で複数のものを指すことも、特定のなにかは指さないこともあり、アレとかコレといった曖昧な記号によって人の解釈に任されることもあります。これが何を意味するかと言えば、一つ一つの要素があって、それらすべてに名前が振り与えられているのではなくて、世界を言語で分節することによって、各要素が存在するに至るだけなのです。

多義的な言葉は辞書的には多くの意味が分けられて番号をつけて順番に載っています、たとえば「いぬ」は1．動物の犬2．スパイ3．くだらないもの等ですが、あるいは「て」には1．肉体の手2．手の形から火の手3．手の働きに関係した方法、手段、策略など挙げられます。ともに2と3は1から派生したものです。このように根源的な意味があってそれが歴史的にいろいろな意味を持ってくるもので多義といっても意味の間に関連があるのが普通です。

言葉の最も基本的な単位は、アイウエオなどの音素という記号を別にすれば単語という記号です。記号を連ねて行って文章ができます。こういった言葉の積み重ねという作業なしに思考することは不可能です。世界の認識も、自分がどういう人間であるかもなにもかにも、それがどういう言葉の組み合わせで表現されるかによって決まります。世界は言葉固有の組織・構造に従っているのです。そしてその言語もまた体系（構造）によってなりたっています。この体系はそのあらゆる部分が言葉という記号間の連帯関係と依存関係、ようするに繋がり、によってできたものが文です。「文は無際限の創造、限界のない多様性であって、活動している言葉の生命そのもの（パンヴェニスト）」。しかし、文になってしまえばそれは記号である言葉とはすでに次元を異にするものに変貌した人間の思想を表しています。たとえてみれば、脳は神経細胞の集合であるが、個々の細胞（単語）と脳（文）とは次元が異なっているようなものです。

話す能力は人間にしかありませんので言説はもっとも人間らしい「生きること」です。プラトンの諸対話篇を見るまでもなく他者と話すことはやり方次第では思考を深めるものです。しかし、ふつうの会話は息を吐くのと同じことで空中に拡散し空しく消え去るのみです。思考を深めるためには作文、集中して文章を練ること、が考えを継ぎ足して行けるので一番です。

言語は文法によって諸関係に基本的な秩序（規範秩序）を供給し、それは社会化の過程のなかで個人の主観的な経験の秩序化となるもので、人の生涯を有意味にします。人間社会に住むことは、秩序立だった有意義な生活をおくることで、それであるから家庭や義務教育で言葉が正しく話し書けるように教えることになっています。社会から切り離されると個人は一人で対処できない無数の危険にさらされて、そのうち最大のものは生きてゆく意味喪失の危険です。言葉を話すとは、そのような危険から護られている、正気でありうるということなのです。

バベルの塔という神話があります。人間が天まで届く塔を作ろうとしているのを知った神は、人間が同じ言葉を話しているから大それたことを考える、許せないとばかりお互いの言葉を通じないようにしました。言葉は社会秩序をつくるものであるが、時には壊すものでもあります。

7. 宗教

・社会とは集合的な人間行為の一所産であり、宗教もまたそういった所産の一つ、すなわち宗教は社会的産物です。そうであるから、どのような社会にも宗教ないし宗教的なものは在るのです

・神と理性は両立不能なり

人は、生きている限り不本意なこと、絶望感や罪悪感に囚われることは数限りなくあります。そういった状況において自分一人で立ち向かい自分を支え続けると、不安や絶望に押しつぶされ心が折れて、そこから救ってくれる精神的な支えを求めます。人間は、いかにあなたが否定しても罪深き生きものです。否定するのは気づかないだけ。罪からの絶望が宗教への細いが確実な道

です。絶望の反対物は信仰ですが、その距離は短い。

このうえない安心と凪の海のような静けさの中でもなおみずからの神を求める、という点に宗教的心情の本質があります。絶望や不安に陥ったときに、その危機的状態からの解放を期して人は祈ります。知らずしらずに「援けてくれー」と誰にともなく祈っている自分に気づかされることがあります。祈りには、「自分の努力のみでは決して真理には近づけない。真理に達するためにはなにかの援けというか仲介ないし補助線が必要となる」と信じることが前提にあり、宗教は「依存の感情（シュライアマハー）」です。それはそうだが一面的である、人間は或るより高い絶対的なものに帰属するとともに、その高いものを表象と信仰によって人格神として対象化し受容するという両面があります（ジンメル）。いずれにしても帰属ないし依存の感情で、そこからおのずと生じるのが祈りで、それはわれわれの存在の最も深いところから立ちのぼるものです。苦境、外面的であれ内面的であれ、それが神をつくり祈りを教えます。苦境こそが、人のうちに無限なものに対峙するという宗教に固有の感情を受け入れる素地を生み出します。苦難が、自我の狭小な器を打ち壊し、無限へと個人性を超えたところへの通路を開いてくれます。内面生活の多様性全体にとって、宗教的心情は統一性を意味します。

「理性が経験より優先されるところでは、信仰は功徳をもたない（グレゴリウス）」。理性による分別知ではなく不思議を直感する知（開示悟入）を得ることが宗教に入るためには必要なのです。無条件に何かを信じる宗教は理性の対極です。キリスト教のうちプロテスタントはどちらかというと理屈っぽく（哲学的？）、カトリックは融通無碍でより宗教らしく感じられます。理性で考えて宗教に帰依する人はありませんし、ありえません。世の中には宗教のことをとてもよく理解している人がいますが、そういう人は特定の宗教（○○教や□□宗）の信者になることは稀です。

人間とは一人・単独であってはなんでもなく単なる空無にすぎないで、他己があって初めて自己たり得ます。この世に確実なものは何もなく、あるのはただ関係だけ。その関係の結節点に各人が位置しているし、その関係は終始変化しています。「自己とは一つの関係であり、その関係それ自身に関係する関係。自己とは無限性と有限性の、永遠性と時間性の、自由と必然との総合という関係です（キルケゴール）」。自己は精神であり、精神は無意識のうちに無限なもの永遠なものの自由を求めています。そういった求めに応じて工夫されたのが、身もふたもなくいってしまえば宗教とか神です。

自己は、なんらかの普遍的・一般的で高次なものに結びついていて、そこから流れ出てまたそこへ還って行くものと漠然と感じられています。そして、高次なものに対して自らを捧げるとともに、そのことによって、より高められ救われることを期待します。その原型は家族、親族とか近隣社会ですが、それだけでは不十分で、そういったものが外部のより堅固なものと結びついたときに宗教につながるものの萌芽がみられます。ある種の社会的関係には、宗教的なものに受容されてゆくべくあらかじめ決定された感情的興奮と意義が備わっているものです。社会関係のもつ感情価や統合力、限定性が、それみずからを自発的に宗教的方面へと進めていくこととなる素因を与えます。宗教的な形成物の特徴は、社会的なものにおいて成長しそれによって自立し、社会的なものに相対するようになるところにあります。

宗教の底・始まりには疎外があります。古代ローマ帝国の一辺境にあったユダヤ人たちは中心から無視し疎外されていたので、それだけではないでしょうが、あなたたちも人間ですよというイエス・キリストの教えにしがみつくことによって生きのびることができたといわれています。キリスト教には、それを必要とする人の要請に答えるものがあったのです。最初はそういうものであったキリスト教もローマ帝国の国教になり権威をもつようになると逆に自分が強力な疎外機関に、規範化の執行機関に変貌しました。ボトムアップに始まりトップダウンに至る、というのが宗教です。

人と人あるいは人と物の関係がよそよそしい状況を疎外といいます。人間関係があまりにも利害打算的な関係になり人間性が失われてしまっている状況（物象化）が疎外。見方を変えると、疎外は社会を物とみる客体化プロセスの行きすぎです。すなわちこの世界が、人の協力によって作り出されて今に続いていることが、人為的・文化的な世界は自然界と基本的に違うことが、忘れ去られている事態です。人間的な意味の豊かな行為の表現が意識の中で非人間的かつ生気の乏しい事物（物象化）の閉鎖的なものに、成り下がっている。これは欺瞞である。疎外された意識がこの欺瞞性に基づくものである限りそれは「虚偽の意識である（バーガー）」。疎外された世界は、そのあらゆる面で意識の、とくに人為的・文化的な世界と自然界の違いがあいまいな、虚偽の意識の現象です。

社会の成員はお互いに関係を持ち、そうした関係は特徴的な度合いの高揚、献身、聖性と内面性を持つし、そこからある理想的な内容が発展し、神の思想も出てきます。「人間はお互いに接触することによって、その相互作用の純粋に心理学的要素のうちにある種の調子を発展させます。その調子が高められ他から分離され固有のものへと成長発展した姿こそが宗教である（ジンメル）」。神的なものの表現において、その実体的にして理想的な表現を得るのは人間の相互関係です。すなわち人間関係のありかたのなかに宗教的要素の萌芽が在るという訳です。イエス・キリストと彼を取り巻く人たちが社会の無理解や迫害に対してイエスの考えを基にまとまっていたのですが、それに堅固なものであるユダヤ教の思想（旧約聖書）が結びついてキリスト教が誕生したといわれています。キリスト教に福音書など新約の他にユダヤ教典である旧約聖書があるのはそういう訳です。

しかし、宗教と宗教性は別のもので、宗教性はいつでも何処にでもある人間のアプリオリな属性の一つであって、そこには生そのものが躍動しています。が、必ずしもそのまま宗教に進むとは限りません。宗教は宗教性が或る所に凝集したものです。

a．信ずる

・信は見えない真への同意である（アウグスティヌス）

・宗教的な祈りとは、心の奥底から望む、理屈抜きになにかの実現を願うことです。信じないで祈るといったことはあり得ません。

・人間は殻の中に閉じ込められているが、信じることはその殻を破って真理につながる、殻から外へ出してくれる通路である。

見ることのできないモノは信ずるか信じないかの二つに一つしかありません。そして、信じれば存在するに至るのが宗教です。直感的に正しいと思うことを確信することです。「信じる」が宗教の核心です。ちなみに、われわれが「あることの知識を持っている（知っている）」といえるのは、ある仕方でその或ることに信をおく（「それ以外はあり得ない」）、その或ることが認識されているときです。ひたすら神・超越者の言葉（啓示）を聞くことにおいてのみかれらは生きています。心を向けるものの存在を承認しないで祈ることはできません。祈りにおいて人は周囲から離れて全面的に内面化し自己に沈潜します。祈りは、自己の最深部から起こってくる真剣そのものの行為です。

信仰は人間内面の活動的で力強く創造的なもので、熱狂に最も近いものと言われます。内村鑑三はイエス・キリスト（信仰）とキリスト教（神学）をはっきり区別しています。信じるということは、理屈ではなく絶対者と人間の関係です。宗教において、絶対者・神と人間の関係は１．隔絶していて、神から人への一方的指示（ユダヤ教、イスラム教など）である、２．親密な関係にある（仏教、キリスト教など）の両極、そして３．中間があります。前者では、神と人間は次元を異にしていて相互的な関係はなく、ただ神から人への一方的ないわば命令があるだけです。旧約聖書『ヨブ記』では、人格円満であり、かつ財産にも家庭的にも恵まれていたヨブは、悪魔と神の賭けに翻弄され、財産も家族も友人もなにもかも失ってしまいます。そこでヨブは神に反抗ますが、神の「地の基をわたしが据えたとき、お前はどこにいたか」。要するにお前はいったい何物で、これまでなにをしてきたか。なにか文句があれば言ってみよ、と。神に対しては塵芥の如き自己を知るヨブは一言もなく、自分を否定し悔い改めました、そうするしかなかったのです。自己を空しくして神を信じ、すべてをささげなさい、そうすれば神が顕現する。「汝は汝のものとなるべし、そうすれば私（神）さえも汝のものとなる（クザーヌス『神を観ることについて』）。

キリスト教の神はまた人間（イエス・キリスト）でもあります。父である神、子であるキリスト、神の意志ないし言葉である精霊という三位一体説。日本でキリスト教が広まらないのはこのような荒唐無稽な説にも因があるのでしょう。そうはいっても、キリスト教は世界中に信者の最も多い宗教です。その宗教の信者が極めて少ないということは日本人を定義する際の重要なファクターと思います。

b. 魂の救済

・すべての生き物は救われる（仏教）
・自己の奥へ入って行け（アウグスティヌス）

各種の宗教が説くのは、いかなる人間も自分だけの努力では解放（救済）されることはない、ということです。自分の支配者ではない人間は、自分の意志を信頼しそれに助けを求めることはできません。キリスト教では、欲望を全面的に制御し自己の無力さを徹底的に克服しようとする試みは、恭順を犠牲にし傲慢さを選ぶという原罪そのものだと言います。だから、神は人間に自分で選択する自由を与えた、すなわち人間は自分自身を救済することは可能であると主張したペラギウスは異端とされてしまいました。

宗教の究極的な働きは救済に在ります。何を何から救うのか。魂を、肉体的な苦しみ経済的な苦しみをではなく、魂を救う。魂を取り囲んでいて、本質的なものから遠ざけているものから救い出す。邪魔しているものを排除して自分そのものである魂の本丸へ入って行け。そこでは人はもっとも落ち着いていることができる。魂が救われれば肉体や経済の問題も同時に解決するのですから。いつ、どのようにしてという所に宗教による違いがあるだけです。どんな宗教も、天国と地獄というものを用意して人々を入信へと誘っています。キリスト教では最後の審判というものが在って、そこで生前の行為の総括が行われることになっていて、行いを慎むように勧めています。

魂は常に自分自身と周囲・物の間を行ったり来たりしていわばさ迷って変転常無きものです。宗教はそんな魂をどこかに固定してくれるものといってよいかと思います。キリスト教では「神の家には、すべての人間のための棲家がある（ヨハネ福音書）」といい、仏教では「一切衆生悉有仏性」、すなわちすべての人間は救いに与る能力を等しく持っている。このように、各宗教は「人はみな救われる」ということをうたっています。宗教のいのちは救いにあり、救済のない宗教は宗教の名に値しません。人を救ってくれるものは数多くありますが、宗教もその一つです。罪おおき人間は誰でも落ちてゆきます。自分が罪おおき人間であることを知るのは、理性は否定するかもしれないけれども、魂です。いったいどこまで落ちてゆくのか、と、魂が不安に駆られることが生きている限り果てしなくあるものです。

5章　戦略・戦術

・勝利の軍は、開戦前にまず勝利を得て、それから戦争しようとするが、敗北の軍は先ず戦争を始めてからあとで勝利を求める（『孫子』）
・世に従はん人は、先ず、機嫌（潮時）をしるべし。序悪しき事は、その事成らず（『徒然草』）（序・ついで、とは事の運ばれる順序）
・人が、いま始まったと思うときには、それは既にはるか前に始まっていたのです。

人間は、種子を蒔けば芽や茎が出てくる自然現象のようにはいきません。人の一生は上向きとは限らず平坦か下降、よくて螺旋状上昇であって、節目節目においてどう考えるかが決めているのです。生きるとはすなわち、自覚をもって大局観をもって生きることで、いつも決断の連続です。決断によって我々は運命を選んでいると言えます。まずい決断は悲惨な生につながりかねません。細かいことに囚われないで、太い一本の線をみつける戦略が必要とされるゆえんです。

生きるとは自分との戦いである以上、善く生きる（勝つ・上昇する）ためにはなんらかの手・戦略があるのは当然です。戦略を強いて定義すれば、目的を達成するために手段を用いる方法に関わること、となります。そして、戦略戦術、攻撃防御のすべてが孫子の「相手を知り己を知って、戦わずに勝つ」にあります。敗けるのは己を知らないからです。

生きてゆくうえで大事なことは、無限に大きくなり得る願望・夢と、有限でしかあり得ない能力とのバランスをとる、生きる戦略を持つ、に尽きます。くだいていえば、戦略とは自分は何者であるかを知り、生きている場所はどんな所かを知ることです。人生は、終ってみなければ分かりません。まず卵を割って手順よく焼きスパイスを加えていくとオムレツが出来ます。そのように人生も進みます。オムレツが頭の中にありさえすれば。よく考えて進んでいった人生こそが尊いという考えももちろんありますし、それを否定するものでもありませんけれども、戦略という大方針がしっかりしていれば多少の手違いはさほど意に介することはありません。戦略が粗末であったり間違っていたら、個々の場面での努力である戦術は空しく、多くの場合に挽回不可能です。

世界を自分の眼で見てその見える世界を現実と考えるそのことを外在化といいます。人間の知識によって現実が○○である、と個人の外部にリアルな世界となって現れてきます。外在化して構築された現実は人間主体とは独立して自分の外に在って、社会的事実という個々人の意識を超えた集合意識が生まれます。外化の過程において人は自分自身をその中に投げ入れ、世界の登場人物となってゆくのです。その現実は人間に対して客観的なものとなる、生んだ当の人間たちにとって自分の外部にあるものとなり対象化あるいは制度化といいます。そして客体化された世界が、今度は逆に意識の中に投げ返され、意識内に現実の地位を獲得します。それを内在化といいます（参照：3．環境のうちの「社会学」）。このようにして自分に見えている現実をもとに戦略は組み立てられるので、ドン・キホーテには風車が敵に見えたので風車と戦ったのです。

物事は、生まれることと同じように始めるのは簡単だが、善く生きて善く終わらせるのは難しいものです。自分と関係なく始まった人生ですが、それを生きかつ終わらせるのは自分です。戦略なくして上手くゆくはずはありません。字面から分かるように戦略とは戦争において使われる言葉で、戦争を全面的に展開し勝利に至る根本方針です。戦術は、目の前にいる相手とどのように対するかという戦闘の方策・手段、個々の戦闘をいかに戦うかという方策を指します。全体という戦略・大局観は、部分という戦術の単なる寄せ集めではありません。一つ一つの要素・戦術が集まって全体・戦略ができているのではなく、戦略という根本がまずあって、それに従って戦術が生まれます。大局観とは、どんな相手と何を目的に戦うかが分かっていることです。

強くても才能があっても負ける、人生で落伍する人がいるのは、人望という根本戦略がないからでしょう。近くだけしか見えないと、戦闘に勝って戦争に負ける、ということがあり得ます。亀がウサギに、ダビデがゴリアテに、モハメッド・アリがジョージ・フォアマンに勝ったように「必ずしも足の速い者が競争に、強い者が闘いに勝つわけではない(旧約聖書『コレヘトの言葉』)」。

われわれの内部では一定の規則が支配していますが、外部では別の規則が働いているから戦略構築は難しい作業です。自己の複雑性を他の、外部の規則に対応するように絶えず磨き変化させてゆかないと戦いでは負けてしまいます。

「二つの相反する考えを同時持ち、しかもきちんと働くのが優れた知性です（S．フィッツジェラルド)」。人生で大事なのは自分のことも相手のことも分かることで、それは戦略の基です。自分すなわち自我には小我と真我が在り、無くすべきとされるのは御身大事の小我の方で、真我は他人の心の悲しみを自分のものとすることで、育てるべき心です。すなわち、小我という迷い心を捨て、真我こそが自分であると悟ることです。妻を亡くした人の悲しみを理解しようとするとき「妻に死なれたらどれほど苦しいか」ではなく、「私があなたであったら、配偶者をなくすのはどれほど苦しいか」を考えることです。同感は立場の交換によってえられるのです。こんな例で戦略を云々するのは可笑しいのですが。

戦略や戦術はいかに攻撃し如何に防御するかですが、勝てばよいというものでもありません。ルールにのっとって、ルールに従ってしかも美しく勝たなければ。「我々は善きスポーツマンでなければならない。勝ち負けにかかわらずゲームを楽しみ、勝つためにズルをせず、相手がちょっとズルをして勝ったとしてもあまり腹を立ててはならない。そして常にルールに従いそれを守らせるとともに、徐々にルールを改善するよう努めなければならない(F.ナイト)」。勝つためには全力を挙げなければならないが、ルールを守ることが大前提で、フェア・プレイの侵犯者は即座に退場を求められます。

運命を運命とあきらめない。たとえば大雨が降れば川は氾濫します。川は氾濫するものと考えるのは、運命は避けられないとの考えですが、堤防を築いたり側流を作って対応するのは運命の操作です。人生の半分は運命で半分は人間がそれを操作した結果であって、操作を如何に増やすかも人生。

戦略というからには、最終目標がはっきりしていなければ立てようがありません。生きることの最終目標は幸福にあるといわれます。日々の些細な幸福ではなく、晩年に至って幸福な人生であったといえる、そのような総決算としての幸福です。マキアベリは「人の実際の生き方と、人間いかに生きるべきかということは、はなはだかけ離れている」と凡人に理解を示しています。人間もただ生きて、時が来れば死ぬことにおいてアリやキリギリスと何の変りも、残念ながらありません。生物とはそのようにできているのです。戦略など気にしないで成り行きに任せて生き、成り行きに任せて死ぬことができれば、こんなよいことはないかもしれません。ひとは年をとれば取るほど幸福を感じるのがよい人生。

さて、我々はどのような戦略を持って生きてゆけばよいのでしょうか。いうまでもありません、何のために生まれてきたか、この世における役割はなんであるかを忘れないのが戦略の基本です。

戦略戦術をたてるに際して参考になるかもしれないことを大小にかかわりなく以下の諸項目に述べます。

1. 驚く

・けだし、驚異することによって人間は知恵を求め始めたのである。ただしその初めには、ごく身近の不思議な事柄に驚異の念をいだき、それから少しずつ進んではるかに大きな事象についても疑念を抱くようになったのである（アリストテレス『形而上学』）

・そう、宇宙を当然のことと受けとる。ものごとを当然のことと受けとる。自分自身を当然のものとみなすのです。彼らはなにごとにも決して驚くことがないのですね。生きていることが不思議だと思わないのです。彼らは、自分の頭の中で生きている（アルゼンチンの大作家ボルヘス）

人は、変わるべきところで変わっていって、その年齢相当の穏やかで落ち着いた顔つきになってゆくものです。そういった顔つきになれなかったということは端的に言って人生という戦場で戦わなかった、戦略なく生きてきたことを意味します。変わる（殻を破った、脱皮した）きっかけになるのが驚くことです。驚くことができる人は、身近の事柄をふくめてわれわれが出会うすべての事象のなかに、あらゆる経験に共通した特徴を見出すことができ、いかなる体験および認知一般も可能であるという事実を、驚異への契機として受け止めます。

驚くことをくり返しながら人は脱皮し成長し世の中も進歩してゆくものです。そうではない平凡な人は、身近な事象をあたかも自明であるかのごとく平然として受け止めます。太陽が地球の周りをまわっていると言われればそうですかと思い、そうではなくて地球が太陽の周りをまわっていると言われればそこでもそうですかと、なにごとにも驚きません。驚かないから地球が太陽の周囲を回っているわけを知ろうとはしません。というより驚くことができません。驚くことができるとは若いころは誰でもが持っている才能ですが、加齢とともに失ってゆきます。見るもの聞くものなにごとも驚きの連続である子供、なにごとにも驚かない老人。さっきまで鳴いていたセミが木から落ちるのを見て仰天する子供、セミとはそんなものだという老人。人が死んで驚く子供、彼もまた死んだ、仕方ないとつぶやく老人。

驚くとは、未知のものや驚異的なものに感動することで、主体は経験する相手にありますが、自分が主体になって修養によって、なにごとにも驚かなくなるということも重要です。驚くことは人間の成長にとって大事なことですが、他方、つまらないことに驚かないようになるのも、これまた大事な能力です。夏目漱石の『三四郎』にニル・アドミラルという言葉が出ていますが、「なにごとにも驚かない、動じない」すなわち泰然自若という意味でギリシャ・ローマ時代のストア派に帰される言葉で、内心の声にのみ従うことによって人は真の幸福でありうる。ストア派の祖とされるゼノンが最も影響を受けたのがキュニコス派（犬儒派）の、犬のように暮らすことをモットーとして、樽の中に暮らしたディオゲネスといわれます。

いつの時代にあっても、人間は三つの生き方のうちのどれかを選んできました。1．普通に生きる。俗世間にどっぷり浸かり物事をあまり深く考えない成り行き任せ。あらゆる世界に居る大部分の人達。2．何かの実現に情熱を注ぐ生き方。政治、芸術、科学などの世界に生きる少数の一流の人達。3．この世を汚れに満ちた処と考え、そんなところで幸福を求めても意味がない。この世ならぬところで隠遁者的にあるいは宗教的に生きる。この世にどっぷり浸かる生き方の勝れた一つの典型は江戸時代の狂歌作者・太田南畝についてある人が言った「彼は何ものにも驚かない何ものにも激しない。いつも自分を失わないで余裕を示している。何ものにも熱中することなく、徹底することなく、両極端の分水嶺を巧みに歩んで行く」。

驚くためには知らない世界へ積極的に入って行くことです。見知らぬ他国へ出かけていく、旅をする。言葉も自分の常識もあまり通用しないところへ行く、ただ行くだけでなくそこで生活する。運命が、自分に差し出したいろいろな事件の中で試そうとしています。そこではショックが始まりやがて自分自身と「自己内対話」が始まっています。対話が刺激的であればあるほど人に生きる力をあたえてくれます。が、あまりにも大きすぎその人の対応能力を超えれば逆効果。何に驚くか。「手をうてば、鯉は餌ときき、鳥は逃げ、女中は茶ときく猿沢の池（俗謡）」

2. 欲望・情熱

・歴史をながめわたすとき、まず目にとびこんでくるのは、欲望や情熱や利害や性格や才能から発する人間の行動であり、しかも、この活動の舞台において、人々を行動へと駆り立てる主要な動機と言えば欲望、情熱、利害のほかにはありません（ヘーゲル『歴史哲学講義』）

人を本質的に動かすもの、人の行為のもっとも強力な源泉は欲望です。良いことも悪いこともすべて欲望のなす業です。欲望なくして生きてゆくことはできません。感覚器官である眼耳鼻舌身による、色音香味触に対する欲望がその基本で五欲といいます。あるいは、生命維持に関係ある食欲、性欲、睡眠欲、生きたいという生命欲が第一義的な欲で、それ以外の物質・金銭欲、名誉欲などは二次的な本質的とは言えない欲です。誰にでも欲望はあり、人生とは欲と私の二人三脚であって、欲に頂上はないといいます。適度な欲は生きてゆく上でなくてはならない、人生を後押しする必須物と言ってよい条件ですが、強すぎる欲は人を崖から突き落とす滅びの元で、とくに性欲と金銭欲には溺れないように。凡人がマスコミを賑わすことができるのはこの二つによってです。

欲望は、不足を感じてそれを満たそうとする心の動きです。似た感情に情熱があり、さらにその上をといった熱く燃え上がる感情です。「自分に内在する意志の血潮のすべてをある対象に注ぎ込み、この目的にむかってすべての欲望と力を集中させるとき、個人の全重量のこめられたこの関心を情熱と名づけることができますが、世の大事業は情熱なくしては成就されません」。情熱に囚われてはならないなどと、情熱というとなにか多少とも間違ったところのある感情と見做されることがありますが、情熱とは特定の目的に向かった人間の活動力のことで、その人の意志と性格の全精力が注ぎ込まれ、他の一切がその目的のために犠牲にされるといった活動の有様のことで、他人の邪魔にならなければ決して悪い感情ではありません。情熱の内容がその人をその人たらしめています。

人は欲望と情熱とをもって人生を歩んでゆきます。欲望主体であるAはなにを欲望するかというと、さしあたって優れた（と思われる）他者・Bの持っている金とか豪邸といった物とか行動力や考える力などといった事です。ピアノをもって自在に演奏しているCであったり、上手に話して人を魅了している○などがモデルとなってピアノを欲しがる、話し方教室に通ったりする。欲望を掻き立てる他者は、欲望対象であるピアノや会話の仲介者です。仲介者が名ピアニストだったり田中角栄のような演説家だったりすると自分との差が大きすぎて欲望とはならないし、あまり身近かすぎると嫉妬の方が先に立ってうまくありません。なぜなら我々は同時代人や隣人を、過去や外国の芸術家ほどには賞賛したくはないからです。

3. 選択

・生きるとは何をとって何をすてるかの連続

世界は諸関係が複雑に絡み合ってできていて、実現される体験や行為よりもはるかに多くの体験や行為の可能性があります。生きてゆくということは、とりもなおさずこの無限の可能性を解きほぐして、その中から自分にとって意味あるものを選択することです。一定の戦略に基づく選択を通じて数あるもののうちから限られたものを選択し他を排除して複雑性を縮減する必要があります。問題を組み立て（戦略）、その要求に応じて行動することが生きる戦術です。選択するということは同時に何かを棄てることです。沢山の選択肢が見えて、そこから選ぶのでなければ選択とは言えず、一つしか見えていなければ選択でも放棄でもありません。

われわれは常に多くの可能性の中から何かを選んでいます、選ばないと先へ進むことはできません。道が二つに分かれていたら、どちらかを選ばなければなりません。同時に両方へ行くことはできませんし、止まってしまうことは生きることを放棄することです。ピュリダンのロバという話があります。ロバには自由意思がないから、自分から等距離に置かれた水桶と秣桶の間に立たされると、いずれをも選ぶことができないで、立ち往生して餓死するに至るというロバにとっては失礼なつくり話です。われわれは、さまざまな可能性のなかからある一つのものを選ぶ、他を否定する、ことによってその一つのものに意味を与えています。意味は何かが他との関連においてもつ価値や重要さのことです。

生きるとは選ぶことです。「この世界には、実現される体験や行為よりもはるかに多くの体験や行為の可能性があり(世界の複雑性)、生きてゆくためには無数の可能性の中から限られたものを選択しなければならない(複雑性の縮減)。オッカムのかみそり。必然性なしに多くの者を定立してはならない。「この複雑性の縮減という機能を担うのが意味であり、意味を構成する主体がシステムである(ルーマン)」。人の主たる関心事は日常のこまごました事にあって、全体的な事やより重要かもしれない事にまでは思いがおよびません。個人の意識を超えたところで働いている複雑性の縮減という秩序化機能をルーマンはシステムと名づけています。つまり意味を構成しそれを行為者に指示するのがあって、それがシステムというわけです。意味のシステムは体験や行為のさまざまな可能性が人・行為者の限られた能力のために制限ないし排除されることを防止します。意味という戦略に従ってよりよい体験や行為を選択することができます。

戦略戦術の基本にあるのは理解です。理解とはすなわち全体・世界を理解し、かつ部分である相手のことのも自分のこともよく分かることです。それは、1.ある「もの・こと」が、社会・意味の秩序という全体の何処に位置するるか、すなわち分節による理解。言い換えれば次に述べる関係主義。2. そういった理解は、ある環境についての知識（全体と部分）をかたちづくり、その中で有利に生活することを可能にします。

為すことに意味があるかないかは経験を積まなければ分かりません。われわれが生きているのは競争社会です。競争である以上は、勝たなければならないけれども、勝つとは、意味あることにおいて勝つことです。そのためにはものごとの関係がよくわかっている必要があります。

人間が社会において生きる生き方の選択を1世紀前のドイツ人社会学者テンニースがゲマインシャフト（本質意思）とゲゼルシャフト（選択意思）に分けて、現代に至るまで基本となっています。前者が家族、後者が会社。家族は理由や目的があって在るのではなく宿命的共同体として一緒にいる。会社は目的を共有する者たちが選択的に集まってできます。それを砕いていえば次のようになります（現代アメリカの社会学者パーソンズ）。1．感情的と感情中立的。好きで一緒にいるのと、感情抜きに必要によって一緒にいる。2．集合指向的と自己指向的。会社や家族のためにやるのと自分のためにやる。3．個別主義と普遍主義。これは字義通り。4．属性主義と業績主義。人種とか学歴で選ぶのと業績を重視して選ぶ。前者の悪しき例がコネという縁故主義。5．無限定性と限定性。後者は仕事などのある必要の範囲内で付き合うことで、前者は限定をつけずに付き合うたとえばあばたもえくぼの恋愛。1から5までの前者が無限定的・人格的でおおむねゲマインシャフトに相当します。選択の王道は中庸にあります。

4. 型

子供のころから大相撲が好きでした。解説も、往年の神風さん、今の北の富士、舞の海さんらの勝負評や力士評を面白く聞いています。彼らが強調するのは型の有無です。「Aはこれといった型があるからその型に持ち込めば強い、しかしその型にならないときはよく負ける、Bは体力も素質もあるが型がないから思ったほど星があがらない。自分より下位の相手にも負けることがある」。要するに得意の型に持ち込めば弱者でも強者にも勝てる、その型に持ち込んだとき肩の力が抜けて無理をしない、自由自在に相手力士に接することができる。揺れても倒れないヤジロベエのように安定しているということです。

相撲に限らずなにごとにおいても自分の型というものを作り上げた者は強い。生きるとは、自分の型をつくることから始まり型を磨くことに終わります。どうすれば型をつくれるか。まず、数をこなすことです。型を作ろうなどと思わずに同じことを繰り返しくり返し実行することです。そのうちに何かが掴めて、あぁこれだなとなり、その方向に自分を導いてゆくことができます。最初の、繰り返すということなしには何事も徒労、絵に描いた餅に過ぎません。力士が四股やぶつかり稽古に、画家がデッサンに、大工がくぎ打ちに、外科医が糸結びに時間をかけているうちに自分の仕事の勘所が分かってくるように、人生はまず繰り返しによって努力する方向という基本が掴め、そこから型に向かっての努力が始まります。型なくして人生を進んで行ってもそれは他から見れば消化試合でしかありません。なにごとも型を目指し、その型を進化させて高めてゆくことが善く生きるということです。いったん型ができると自信が生まれ、外からの刺激に対して不必要に慌てることなく、何事があっても動じることが無くなるものです。

ものやことは表面だけではなく、中部さらに芯からなる多層構造です。繰り返すことによってその中部や芯に触れ得るようになってゆくものです。芯が見えなくてはものやことを見たとはいえません。型のことを別名「継続は力」と言います。これは大事だと思うことを掴み、それを飽きることなく繰り返していたら、いつの間にかコツをつかみその道で大成することにつながります。四股やデッサンが白鵬やピカソへの道です。繰り返すという所が肝心で、休んだり力を抜くと効果はないどころか単なる暇つぶしと同じことです。

俳句は単なる暇つぶし、アイデアが浮かんだ時つくるものと思われていますが、朝から晩まで俳句俳句で長の年月を暮らしている人もいて、その方面の親分・水原秋桜子は「50年も俳句をつくっていると、姿や動作で俳人とわかる」。それを俳句で煮しめた顔というと言っています。

しかし、型にはまってそこから脱皮できないのも問題です。型から出る。型という殻ができてしまうと相手にも知られて利用されます。サザエは殻で身を護りますが人間のような殻を目指して捕まえる敵が出てくるとお手上げです。

型といっても物と違って目に見ることはできません。何をもって型ができたとか型が崩れたというかは問題です。定義がしっかりしていないと何かを極めてゆくことは困難になります。「必ずや名を正さんか。名正しからざれば則ち言順わず、言順わざれば則ち事成らず（『論語』子路）」。

5．注意

・レンズが光を一点に集中させるように、精神も意識を特定の一点に集中させ、この一点が並外れた鮮明さと明瞭さをもって浮かび上がってくる（デューイ）

何かに気持ちを集中することを注意するといいますが、心の働きを高めるために、特定の対象に選択的・持続的に意識を集中させた状態を、心理学的に注意といいます。人生とは、何に注意するか、なにが大事かで、その大事なことに注力することです。注意力の差が人生を左右します。注意とは、精神の他の能力と同じレベルの能力ではなくて、すべての能力の上に作用するメタ的な能力で、精神活動の主要なものそれぞれに対して効果を発揮するものです。このように、注意とは知覚における選択と排除の操作に他なりません。注意が散漫だとなにごとにも辿り着くことはできません。

意識が感覚的な多様性を自己のうちで結合させて統一することを、カントは統覚（超越論的統覚）といいました。

6．道

・希望というものはあるともいえないし、ないともいえないものだ。ちょうどそれは地上の道のようなものである。地上にはもともと道はない。歩く人が多くなれば、それが道になるのである（魯迅『故郷』）

・わたしは人に道を尋ねることに気はすすまなくて、むしろ道そのものに尋ね、道そのものを試みたのだ。一切の歩みは、試みであり尋ねることであった。道に尋ねそれに答えることを学ばねばならない。これがわたしの趣味であって、いわゆる「道」はないのだ（ニーチェ『ツァラトゥストラ』）

・わたしは真理である、命である、道である（『ヨハネ福音書』）

ものごとを為すには理念や理想がなければならない、とよく言われます。理念（idea）とは、ものごとの原型として考えられる不変の完全な存在をいい、プラトンのイデアに源をもつ言葉です。すなわち非感覚的な永遠の真実在で、感覚世界の個物の原型とされます。理念には概念の変遷がありましたがヘーゲルは、理念を絶対的な実在を意味するものとし、その弁証法的自己発展によって自然・精神の世界が成立するとしました。現代では決断や解釈の目的として（存在論的な含意なしに）用いられています。

理念は考え、考え方。理想は、いまだ実現していない状態を目指して行為の原動力となる面が強くあります。マキアヴェリが犯した最大の罪は、誰もが知っているが誰も認めたがらない「理想という物は実現不可能だ」と、はっきり示したことである（バーリン）。

人が生きるとは「道を歩く」、真理を求め、道を歩いてゆくことです。道を歩くとは予期しなかったものに出会い、驚くことの連続です。驚いてどうなるかはその人次第。宗教というものはヨハネ書のキリストのように人が歩く道を教えると称しています。そしてその道は考えてわかるのではなく直観によって見い出し、それを信じることによってのみ歩けるといいます。

「道可道　非常道（老子）」。世間で普通に道と言われているような道は本当の道ではない。目に見える現象世界を超えた、天地万物がそこから出てきた根源的な世界が老子の言う道。中国では、超自然の宇宙の道理、最高の主宰者としての天の働きを天道と言って非常に尊い従うべきものとされています。「誠は天の道なり。これを誠にするは人の道なり。誠——真の事・言——とは天の働きとしての究極の道である。その誠を地上に実現しようと努めるのが人の道である『中庸』」。「無為にして尊き者は天のみちなり。有為にして累（わずらわ）しき者は人の道なり（『荘子』）。中国とくに儒教においては、道とはキリスト教の神のような人格的なものではなく、一定の理法に従う世界秩序をいいます。その道を歩み自己の向上を目指している人を君子といい、小人の対極にある人を指します。そのプロセスにおいて、真剣であれば人間を超えた真と触れることができ、道となります。むしろ目的よりも途中（プロセス）自体に打ち込むところに価値があり、なにかこの世を超えたものに届く。最終地点だけが頭にあるとき、それは精神的なものが欠けた紛い物である。

日本では何ごとも行きつくところは道です。芸道、茶道、華道、書道、剣道などは言うに及ばず、掃除とくに便所掃除、洗濯、風呂焚き、家事、道の歩き方、会社の仕事、お茶くみなど最終的には道にならなければ本物でないといわれます。掃除道、お茶くみ道。そこには技術的に優れているだけではなく精神的に高いものが伴っていると信じられています。わたしの小学生時代には、汲み取り式便所の掃除が生徒に課せられたが、いや嫌やっているだけだったから、道につながるなど夢にも思いませんでした。西田天香は、京都の修養団（一燈園）で多くの後進の指導に当たったが、便所掃除はその大事な項目でした。

道は多義的です。辞書的には1．道路。2．目的地に至る途中。3．距離。4．筋道、条理。5．教義。6．分別、道理を弁える事。7．手段。8．分野など。

本能に従って生きる動物と違って、人間は自分で生き方を決めて生きなければ、といわれます。そうはいっても何かモデルがあった方が良いのは言うまでもありません。長い人間の歴史が教えてくれている、ある程度の海図ないし設計図というものはありますが、それはあくまでも総論であって、各論は各自が自分で見出してゆかねばなりません。生は躍動し未来へ向かってすすむもの、とベルグソンやミンコフスキーは強調しています。生の躍動が未来を創造します。人は、お喋りをするために生きているのではなく、物を造り、自己を探求し深めるために生きています。

生きかたにモデルがあるでしょうか。生きるとは自分が自分で生きることだからモデルなどない、あってはいけないと考えるのは効率の悪い生き方です。やはり参考やモデルは必要です、そのために教科書があります。しかしそれはあくまでも参考、ある時期までの参考であって、最終的には自分の考え通りに生きていかなければ人生ではなく他生です。また上等すぎる参考は自分の力との差が大きすぎてモデルにはなりえません。少なからぬ人達、その中には偉大な人たとえばカール・マルクスやマックス・ウェーバーなども含まれます、がモデルとして挙げたのがロビンソン・クルーソーです。失敗以外にあまり業績のないクルーソーなのに、何故でしょうか。ロビンソンの孤島での生活設計は長い人類史を一からやり直すという反復です。彼は孤独で苦労に満ちた日々のうちに考え続けたすえに　人間の真の生き方に思い至ったのです。どんな悲惨な中にもなにがしら人を慰めるものがある。吉凶の貸借勘定ではけっきょく貸方に分がある、と。人間はつねに両極の緊張のなかに生きるものです。両極とは理想と現実、全体と個人、嵐と凪、故郷と異郷、定着と放浪など。

7．結合と分離――類似と差異

・将を射んと欲すれば、まず馬を射よ
・贈り物は貰った、だが、善意の贈り物ではなかった。真心のこもったものではなかった（北欧神話『エッダ』）

本丸を攻めるよりもまず周りから攻め落とす方が効果的でありかつ楽である。この世を円滑にするのは贈り物です。しかし、もらって喜んでいてお返しを忘れると陰に陽に仕返しを受けます。面子を潰すことだからです。英語のgiftには、贈与と毒の二つの意味があります。人に贈り物をするのは、単なる善意ないし親愛の情だけではなく、それに対して返礼をするしないなどの反応を見るという油断ならない面もあって複雑です。たかが贈り物と安易に考えてはいけません。「贈与は、外見上、自発的・一方的・断片的な現象であるが、根底においては拘束的・互酬的・システム的な実在である。贈与は物の提供よりもむしろシンボルの交換である（モース『贈与論』）」。

贈り物は気前よくなされなければならず、喜んで受け取らなければならず、さらに忘れることなくお返しをしなければならない。人がもの（物、行為、愛などの感情）を与え返礼するのは、互いに尊敬を、もっと言えば自分自身を与えあうからです。贈与には義務的という面があります。

物を贈る、物をもらうに上手下手があり、下手は逆効果。

・どの人間も、ひとりひとりみればかなり賢明で聡明なのだが、一緒に集まると馬鹿になる（シラー）

類似で結合、差異で分離。賢明も聡明も投げ捨てて愚かさへ降りていかなければ、多くが一緒に行動することはできません。他者と類似していることは相違していることに劣らず重要です。この他者との類似と相違は、あらゆることにおいて外面的・内面的発展に対する大前提です。類似で外面がつくろわれ、差異によって内面が伸びてゆきます。しかし、個人が行動する場合には、差違は類似よりはるかに大きな関心を占めます。行動を引き起こし規定するのは他者との差異。

他校との対抗戦で高まる愛校心、あるいは戦争において極端に高まる愛国心にみられるように、他との対立は類似という結合のカギです。戦いになると差異は削ぎ落され類似一色になってゆきます。賢明や聡明という差異が前面に出て内部でいさかいの絶えない集団でも、敵が現れれば賢明や聡明はたちまちにして投げ捨てられて団結します。対立関係に置かれた集団では、差異は捨てられて平穏な時より一層内部の結束が高まります。しかし、「いかなる集団においても、そのなかで諸要素の収斂する方向と拡散する方向とが分離しがたく浸透しあっているのでなければ、存在しえない（ジンメル）」。結合だけでなく、分離が伴走して世界はより確実なものになっていきます。類似と差異、結合と分離・対立は、人間の生における現実的な要素であり、矛盾する両者が一本の縄としてあざなわれてはじめて安定した集団や人格ができていきます。

人格とは、生まれると同時にできているものではなくて、成長とともに現れる分化の諸要素を個別的な様式で結合させたものです。類似によって仲間を増やし、分離によって内部で頭角を現す。所属する集団が増せばそれだけ人格はより個性的になります。多くの集団に所属することは、個性の発達をうながします。多集団が交錯した一点に個人が存在するということです。個性とは、それだけで自立してあるのではなくて、差異によって、他との関係で現れるものです。

8．失敗と反省

・「長考をなさることがありますが、どうしてですか」と聞かれた将棋の大山名人「あまりうまくいきすぎているときです。だいたい、ものごとはそんなにうまくいくわけがないからですよ。どこかに落とし穴があるから、それに欺かれないために考え込むのです」

物や事には必ず見えていない裏側が、想定外のことがあります。見えている部分たとえば茶碗の向こう側には、見えていない裏や底があります。勝負事ではうまくいっていると見える表側とうまくいっていないその裏側があって、そこから突如嵐が起こります。裏にも目を向けよと大山名人は言っておられるのです。いろいろなことを考えるのは自分という主観・表ですが、他人の目になって自分を観ることを反省・裏といいます。ものごとが教科書通りにいくことはむしろまれと割り切って、そんなことより自分自身を、心を鍛えて歴史という鏡や教科書にない事に出遭ったとき狼狽えないのが生きる修羅場をくぐった人間です。大山名人の言をなるほどと感心しているようでは実行できません。感心は誰でもできます。評論家の立派な言は現場では使えません。精進した人だけが名人の言の真意をわかるのです。

一枚の紙に表と裏があるように、愛の裏には憎があるように、すべての物と事には隠れている見えない部分（裏）が在ります。レトリックではなくて事実です。その裏にはまた裏があって、裏を取るとか裏の裏を行くなどと言ったりします。裏のないものは点や線と同じように想像上にしか存在しません。そのことに思い至らない理解は反面の理解にすぎません。見えない隠れたものは人に恐怖や不安を与えます。占い（うらない）とは「裏ない」を意味し隠れたもの、ものごとの裏を見ることと思います。しかし、裏とは、うらめしや、うらぶれるなどのように大和言葉では心を意味するので占いは心と関係あるのかもしれません。

裏づけるとは、確実にすることです。物事には裏があるということを知っていることは生きていく上で必須の条件というか常識ですが、あまりそのことに囚われすぎても自分を取り巻く世界がギスギスしてしまって面白くありません。裏をひっくり返して科学を発展させた西洋人に対して、裏はそっとしておくもの、裏返してみるのははしたないというのがアカラサマなことを嫌う日本人で、物事を明らかにすることを意味する明らめるに諦めるという断念の意味ももたせています。

常識がない人とは、自分はこの世でもっともえらい最も大事な人だと思っている人のことで、そういう人には往々にして物事の裏が見えていません。彼には周りの世界を本当に理解することはできない、すなわち非常識な人です。その人はあらゆるものから切り離されて自分しか見えない、目隠しされた馬みたいなもので崖から落ちるとインディオの賢者・ドンファンは言っています。リンカーンはアメリカ大統領の内では特別視されていますが、それは彼が偉大なリーダーが滅多に持っていない常識に富んでいたからです。

人間が無意識に頼っている、相反する二つの思考を速い思考と遅い思考と言います。速い思考は自動的に高速で働き、直観的・衝動的で、感情が絡むことが多く、石が飛んで来たら経験や勘は逃げるように教えてくれます。遅い思考は努力を必要とし、意識的・論理的であり、なにかを学ぶとき働きます（D・カーネマン『ファスト&スロー』）。飛んでくる石を見て考えていたら当たってしまいます。

行為にも事前に考えていなかったでき事いわば向こうという裏側が伴うもので、それが良いことも悪いこともありますが悪いのが副作用です。何か、なにかという名に値する何かをすれば必ず成功か失敗がついてきます。成功も失敗も伴わない行為は何でもありません。何かには、失敗すれば失脚や左遷がついてきます。だから人はなにかをすることに躊躇しがちになります。失敗を恐れて何もしなくなれば失敗はないものの成功もありません。定石どおりに指していては弱い相手には勝てますが強い相手には負けます。どこの国にも冒険を好む人も好まない人もいるものですが日本の企業では失敗を恐れる人が多く横並びの事なかれ主義に陥ってしまいがちで、それは何も企業だけのことではなく日本人一般の特徴といわれます。レースを勝ち抜いた社長が残念ながら凡庸だった、というのは日本の会社ではよくあるそうです。他方アメリカには冒険に手を挙げる人が少なくなく成功者は富を築き、失敗しても周りからあまり責められないそうです。昔なら自分で工夫を重ねながらやった多くのことに、マニュアルが完備してきて失敗する機会は大幅に減っています。若くて未熟なうちは失敗はある意味当然で多くの場合に許されます。モラトリアム・支払猶予という準備期間です。また、えらい人の伝記に見られるように、個人旅行や友人との旅行は多くの失敗を伴いますが、その経験が人生の大きな財産になっています。失敗を恐れて萎縮していると失敗をするという貴重なチャンスを逸してしまいます。もったいないことです。失敗したことをよく考える精神力があって失敗の原因が分かれば次からは成功する可能性が出て、失敗は成功の基といいます。失敗で落ち込むだけではますます事態は悪化するだけです。

「人、自ら照らさんと欲すれば、必ず明鏡を用いる。人、過ちを知らんと欲すれば、必ず友人による（『貞観政要』）」。他者を鏡として反省は起こり、人は反省を通して自己を知ります。あるいは他者を知ることによって自己を知ります。鏡とは物体である鏡、そこへ映る対象物、映った物を見る主観の三者のことです。鏡に映った物でさえ見る方向や光の当たり方によって異なって見えます。仮に鏡が完璧であるとしても、その鏡に映った像は騙そうとするし、それを見る人は騙されやすい、ときに騙されたがっているものなので、同じ像でも見え方は人によって真逆の事さえあります。

人は鏡で自分の姿を知り、他人を鏡として自分の行動の善し悪しを知ります。磨かれた鏡や静かな水面のように、澄み切った心で対象・相手を見なければなりません。心を明鏡のように磨ぎ澄ましておけば、表も裏も見え、いかなる事態にも対処する道はおのずと湧いてきます。「物来たりて順応する」。裏が在ることを想定しそれに対する備えがない戦略は負けにつながる戦略です。多くの人は自分の都合という表だけが頭の中を占めて、相手の都合を考えないか考えても自分に都合がよいように考えがちです。

「反者道之動」。反（あと戻りする）が、道の動き方である（『老子』第40章）。他者とは身近に居る者にはかぎらず、古今東西あらゆる人物の事跡あらゆる出来事で、古人を友として、それらの人について学ぶことこそが生きる参考です。さらに人に限らずこの世に在るすべての事物が反省の対象となります。自分のことを「なにものであるか」とよく分かること、自己の内面的な精神生活（心的状態）に意識を向けることも反省、内に還って観るといいます。生きるとはつまるところ他から学ぶ、反省的自己理解がすなわち「生きる」で、自分勝手は盲動といって真に生きているとは言えません。

9．耐える

・耐えねばならぬ。生まれ落ちたとき、わたしは泣いた。この世の空気を初めて嗅いで、泣き喚いたではないか（『リア王』）

・仕方ないわ、生きていかなくちゃならないんだもの。（間）。ワーニャ伯父さん、生きていきましょう。長い長い日々を、長い夜を生き抜きましょう。運命が送ってよこす試練にじっと耐えるの。安らぎはないかもしれないけれど。そして私たちの最期が来たら、おとなしく死んでいきましょう。そしてあの世で申し上げるの、わたしたちは苦しみましたって、涙を流しましたって、つらかったって（チェーホフ）

・圧力がなければダイアモンドは生まれない

・ながらへば　またこのごろや　しのばれむ　憂しと見し世ぞ　今は恋しき（藤原清輔）

なにが辛いかといって、することがないほど辛いことはありません。老人問題の核心です。社会の仕組みが変わってしまって、老人は数的にも物理的にも余計者的に見られがちな時代が到来しています。そこで必要なのは忍耐。「順境の美徳は節度。逆境の美徳は忍耐（ベーコン）」。堪忍袋の緒を切ってしまっては元も子もありません。生き延びるのに大切なことは、とにかく耐えること、諦めてしまわないことです。「俺をレースに復帰させてくれ、社会に戻してくれ、人間に、生きた人間に戻してくれ。そしてあの仕事をくれ（P・ルメートル『監禁面接』）」。

忍耐が必要なのは、歯もなく、目も見えなく先になにも待っていない老人ばかりではありません。生まれたばかりの、温かい母の胎内から出されてこの世の空気を始めて吸って泣いてばかりいる赤ん坊は忍耐を強いられているし、青春時代や人生の盛期である中年期もそれこそ耐えることの連続で。人間は耐えるために生まれてきたかのようです。「人間はこの世に来た時とおなじように、この世を去るときにも耐えねばならない（リア王）」

人生は、孔子が言ったように、成熟に向かう歩みです。人はそれぞれ自分の顔というものをもって生まれてきます。よき選択を続けることができればますますよい顔に変わってゆくものです。成熟するとは現在を、居る時と所を精一杯生きることで達成されます。ある芸術家は「どこに居ても勉強できるなぁ」。そういったことの積み重ねの先に自分のピラミッドがそびえる、筈です。それゆえ、人間は年を重ねるほど、生きれば生きるほど活きる苦闘の積み重ねによって身体的には不幸（老病死）に、成熟に向かう歩みのゆえに精神的には幸福になる生物です。人生とは、幾多の抵抗と圧力という名の狭き門を通ってダイヤモンドになること。

生きるとは、いつでもどこにでも抵抗に晒されることです。抵抗に気づき、それを突破してゆく（戦ったり、手なずける）。水の抵抗があるから人は泳げ、空気の抵抗があるから飛行機は飛ぶことができ、大理石に抵抗があるから石に像を彫ることができる。そのように抵抗はそれと戦う者に微笑み返します。扉は出たり入ったりすることを妨げる関門ですが、また出入りを許す門でもあります。

だれも唯一つの人生しか生きることはできず、時々刻々が狭き門を通るという選択の連続です。街のなか、会社や工場あるいは野原や山の中どこであれ、人は生きなければなりません。人生は、済んでしまった過去の記憶でもなく、まだ来ていない未来の夢でもありません。生きるのは常にイマココ。あるのはつねに今という時（イマこの門を通っているのだ）と、此処という場所だけ。あらゆることを基本的には自分で決めなければなりません。現にわれわれはそうしています。

10．忘れる、騙す――自己欺瞞

・嫌な奴は忘れる。だが、嫌なことは忘れない、臥薪嘗胆
・だます奴は悪いが、だまされる方も悪い

忘れるべき物・事は忘れる。忘れてはならないもの・ことは忘れない。だが、忘れてはならないものは多くはありません。人を判断する材料として、その人がどんなことを忘れどんなことを忘れないで記憶しているか、を挙げることができます。多くの人は都合の悪いことはわすれますし、屈辱は忘れません。他人に施したことは忘れる方が良いといわれますが、なかなかそうはいきません。

反省を反省にするのがその人の真面目です。真面目があって初めて反省という仮面があり得ます。反省する心は攻撃とか後悔とか赦しに向かいます。2．26事件で父を兵隊の凶弾に倒された渡辺和子は「復讐の感情に身をゆだねれば、心の中の争いという苦しみはいつまでも連鎖を続けるだけだと思います。ではどうすればいいか、私はできるだけ人を赦して笑顔で過ごしているのです」。そう語った彼女は「2．26事件は、私にとって赦しの対象からは外れています」と続けています。なにごとにも限度というものがあります。忘れるとは困ったことですが、ある面では必要なことでもあります。どうにもならないことは忘れるに限ります。「忘れることは黒いページで、この上に記憶はその輝く文字を記して、読みやすくする。もし悉く光明であったなら読むことはできない（カーライル）」。忘れることの意義をこれほどよく分からせる言葉を知りません。忘れるとは垣根を取り払うということも意味します。忘年の交、忘形の交。前者は年齢を、後者は地位や貧富に囚われない心の交わりを言い、忘年会とはまた違った種類の交わりです。

忘れるには、消極的に気づかずに忘れるのと積極的に忘れるという、二つがあります。消極的は上に述べました。積極的に忘れるとは別名自己欺瞞。われわれは、なにか倫理的上許されないことを大小となく日常的に行っていますし、行わざるを得ないことも少なくありません。が、その人の出来具合に応じていろいろな理屈を考えだして自分をだまして良心を偽って「仕方ないのだ」と言っています。実際は本人の自由意思に委ねられていることなのに、あたかも必然であるかのようなフリをすることで、別名は自由からの逃走、選択の苦悩からの不誠実な逃亡。人を殺すことは悪いことと知っているが、戦争やテロでは平気で人が殺せます。国や組織の命令だから仕方がない。人を社会的な存在たらしめている役割という蜘蛛の糸に人は縛られ、倫理を平気で忘れさせます。ある集団に加入することによって世界とはこんなものだとわかります。準拠集団論といいます。ハイデガーはドイツ語でdas Man（人というもの）と言っています。人々がそれをするからといって為る人、のことです。

11．仮面と秘密

・微笑みは人間の顔にのせる表情のうちで最も信用できないものの一つだ（多和田葉子『雪の練習生』）

「どの面（つら）下げて、ここに居るのか」と、上司が部下の不始末を叱責することがあります。前者は目を吊り上げた、後者は申し訳なさそうな顔をしていることでしょう。どちらも普段の顔つきとは違う仮面でしょうか、それともそれこそが真面でしょうか。人生においては巡りゆく折節その時、というものがあって、必要に応じて服装を変えるように人は自分の顔も変えなければならないことがあるものです。

面とは顔のことで、「つら」とも「おもて」ともいわれます。面・顔はその人間を対外的に代表しています。顔は人の存在にとって核心的な意義を持ちます。それは単に肉体の一部分であるのではなく、全肉体を従え表すもの、人格の座に他なりません。人は、首から下を観なくても分かるような顔をしていなければならないと言われます。自分の顔は自分の責任。これぐらい恐ろしい言葉はありません。どのようにしてその顔を作ったのですか、と常に問われ続けられます。そうであるからでしょうか、人は面のうえの仮面に隠れてそこに安らぎたく思うことがあるのも仕方ないことかもしれません。たえざる緊張を要するのが人生だとすれば、そこから少し逃れて安らぎたい、人には誰にもそんな変身願望があるものです。西洋には古くから仮面舞踏会というドンチャン騒ぎがあり、現代ブラジルにはリオのカーニバルがあります。あんなことはとても素面ではできません。

能面をおもてというように、「おもて」は素顔でもあり仮面でもあります。木などに彫った、顔から耳を除いた被り物を面といい、能面、伎楽面、単なるお面などがあります。面が面としての働きをするのは、それが生きて動く人が顔につけて一定の動作をするときです。どこかに置かれた面が静止していてそれこそ無表情なのに対して、役者がつけると面は動いて表情をもつに至ります。「面がその優秀さを真に発揮するのは動く位置に置かれた時でなくてはならない。能面が舞台に現れて動く肢体を得たとなると、面がそれを被って動く役者の肢体や動作を己の内に吸収してしまう。面が肢体を獲得したのである。（和辻哲郎『面とペルソナ』）」。

人間の顔はいっさい仮面であるという説があります。いつも同じ顔をしていたのでは、お互いに面白くも何ともありません。おお、彼はこんな顔も持っていたかという一種の驚きが、あるいは彼女からこんな顔を引きだすことができたという喜びが、付き合ってゆく上の潤滑油ないし接着剤となり得ます。

仮面をつけるということは自分を違ったように見せたい願望の現れですから、衣服によるおしゃれと似たようなところがあります。人が、意識するとしないにかかわらず、衣服を必要に応じて変える、むしろ変えざるを得ない、そのように顔も選び分けられているのかもしれません。豊かな人が多種多様な服をもっているように、経験を積んだ人は多くの仮面・秘密を用意しています。しかし、極端な秘密はむしろ人を分離してしまいます。

人は社会に生存する以上、ある役割をもっています。家庭においては父、母、子供、夫、妻。

会社では社長、課長、平社員。行政では市長、役人、市民。学校では先生、生徒などなどです。その場その場で、父や社長などの役割という仮面・衣装をきて社会が秩序的に動いていくように努めるという演技をしています。その演技において人は、その役割に必ずしも完全には同一化しているわけではなく、ある程度の距離をとっている（役割距離）のがふつうで、一種の演劇を行っているとゴフマンは強調しています。かれがその例として挙げたのは、外科手術において執刀に当たった若手医師が不謹慎と思えるジョークをとばすことがあるが、それは「このくらいの手術は、僕にとってはなんでもない、大丈夫だよ」とわざと軽口をたたき自と他に安心感を与えるのは役割距離の一つの演技です。共依存(アル中の夫が居るから妻は必ずしも辛いばかりではなく、夫を介護することに生きがいを見出しているという面もある。その夫婦は依存しあっている)も、そういった例の極端な一つです。

仮面の効用というとき、キリスト教が出身母体であるユダヤ教を圧倒しているのはイエスという仮面を工夫して上手にかぶっているから、とわたしは思わざるをえません。眉ひとつ動かさずとりつく島のない創造神の仮面として、泣いたり笑ったりあまつさえ殺されてしまうイエス・キリストという優しい顔を思いついたキリスト教にたいしては天才的としか言葉はありません。しかし、仮面はあくまでも仮面です。

仮面は見破られないから仮面ですが、期待に反して多くの場合、見破られています。気づかないふりをするのが相手に対する礼儀というものです。なぜ見破られるかというと仮面とはそういうものだからとも、一人でいる時には外してしまっているからだともいわれます。あまり仮面がうまくゆきすぎたり、使いすぎるとジキルがやがてハイドになってしまったようなことになって仕舞います。王様の裸と同じように、仮面が素透しになります。どのような服を着るか、どのような仮面をつけるか、どのような秘密を持つか。生きる秘訣かもしれません。

仮面の働きは自分を隠すことにありますが、仮面ほどあからさまではなくても人はいろいろな方法で自分を隠します。仮面とは形をもった秘密です。隠すとは実際と違ったように見せることです、1．自分のことを漏らさない、ひかえる、出さない。2．実際とは違ったように見せるという、前者の陰と後者の陽、両面があります。

人は他人に知られたくない知らせたくない情報をもっています。秘密は、ふつう人を分離するものですが逆に秘密には引き付ける作用もあります。なんの秘密もないという関係が上々の関係かというと決してそうではなくて、喧嘩がない関係と同じで秘密のない関係というのはガラス細工のようなものでむしろ不安定です。真面と仮面、いつも真面では面白みがなく飽きられてしまいかねません。ときどき仮面や秘密でつけるアクセントは生活必需品です。分離（秘密）と結合の不思議な相互作用です。そういったところから秘密は仮面のような一種の衣装ですが、極端な秘密は過剰装飾であって鎧をまとったようで動きが取れなくなります。ジンメルは『橋と扉』というエッセイにおいて、橋も扉も分離と結合を象徴するものであるが、橋は分離を結合する面が強く、扉は分離と結合が程よく人間の作業のうちに人間の作業として入ってくる、といっています。どういうことか。壁が分離するものであるけれども、その一部である扉は外から入り外へ出てゆくという結合そのものです。新型コロナが流行っていてマスク姿が一般的で知人がわからない不便があります。そういえばマスクには防衛面のほかに仮面の意味がありました。

12. 怒りと悲しみ――ルサンチマン

・怒りは死ぬまで老いることはない（ソフォクレス『コロノスのオイディプス』）
・怒りに対する最大の対処法は、猶予を置くこと（セネカ『怒りについて』）
・心をかき乱すのは事柄ではなく、事柄についての思惑である（エピクテトス『要録』）
・怒りは思慮ある者を煽って逆上させ、滴り落ちる蜂蜜よりもはるかに甘く人の胸の内に煙のごとく充満する（ホメロス『イリアス』）

強者は自分のすることは優れたこと良いことであるから周囲にそれに従うことを求め、弱者は仕方なく従っているが心のうちでは面白くなく感じます。そこで弱者は強者に対し劣等感の裏返しとして相手に対して怨み、嫌悪、嫉妬の感情を抱きます。この感情をニーチェは奴隷道徳ルサンチマンといいました。怒りは誰にでもありますが、個人差の大きなものです。片方に、この人は「何でこんなことに怒っているのか」があり、もう片方にはここまで虚仮にされて「なぜ怒らないのだ」があります。弱者は一人では対抗できないので徒党を組んで戦いますが、そこで掲げられるスローガンが人権尊重や生命尊重といった誰にも表立って反対できないものです。近代社会の原則とその理想はすべて弱者のルサンチマンが生んだもの、と言われます。

他の多くの感情が一過性であったり制御可能であるのに対して、怒りはしばしば当人のコントロールを脱してしまいがちで、度の過ぎた怒りは狂気すらも生みます。一般的に言って、感じやすく繊細な人は良く怒ります。そして、相手か自分を傷つけ、ときに破壊してしまいます。怒りが起こるや、とっさに反応してしまうと抑えるのは困難で、必要以上の事態に至りがちです。よく、間を置け、一呼吸をおけといいます。大きく息を吸い込んでその吸い込んだ空気に注意を集中しているうちに、うまくゆけば薄らいできます。薄らいだと言っても怒りは残り燃え続けます。そうはいっても怒るべき時に怒らないと腑抜け者であると、評価を下げてしまいます。怒るべき時に怒り、怒る必要のない時は怒らない。宮沢賢治なら、そんな人に私はなりたいというかもしれません。

怒りの反対はなんでしょうか。怒らないではないでしょう、許すでしょうか。ここでは思い切り飛躍して悲しみとします。悲しみは心の弱い人の感情であるとしてストア派では「賢者は悲しみを感じることはない。悲しみは心が委縮した不合理な状態である」として退けられたそうです。ストア派の言うのは悲しいときには悲しいのが当たり前であるが、それをさらけ出すなということでしょう。悲しい時に大っぴらに悲しめる人はうらやましい。理不尽な行為や言葉、侮辱に対して心を乱されないように普段から修行する。ソクラテスが平手打ちを喰ったとき「やれやれ、大事なことを忘れていた。かぶり物をして外へ出るのだった」といったそうです。

「万事を決断するに、仁愛を本として分別すれば、万一、当たらざることありとも遠からず（戦国武将小早川隆景）」

13. 断念

わたしたちがなにかを成し遂げるためには、それ以外の可能性を諦める、何かを断念しなければなりません。行いたいことがあるけれども、もっと大事と思えることのために諦める、あるいはその大事と思えることは自分の能力には荷が重いから諦めるなど。選択と断念。なにもかも実現させるということはあり得ないことだからです。もっと速い球が投げられるように、休みたいのを我慢して投球練習に励む野球の投手。したいことの数々を我慢して修行に励む人。禁欲とは普通には欲望を我慢することですが、ある目的を合理的に実現するために生活を規律化することです。単になにかを諦めるのではなく、目標を絞って（当然、目標以外は眼中にない）それに集

中すると、思いもかけないことが実現する。ごく簡略化すると、神の恩寵を得るために、イマコ

コが大事とばかり時間を惜しんで、生活を規律化して働いたプロテスタント（清教徒・ピューリタン）の日常が結果として資本主義の成立に寄与したと、ウェーバーは『プロテスタントの倫理と資本主義の精神』の中で強調しました。

日々が行為と断念の連続と言ってもいいくらいですが、とくに人生の節目ふしめで行われています。スポーツへ進むか学問に進むか、結婚するとき美人や美男子を取るか金持ちを取るか、などなど。なにを取り何を捨てるかが人生そのものといってよいかとおもいます。

「断念の　つもりて遠き　昔かな（偽蕪村）」。

14．距離感――あいまい戦術

なにごとにも相手（対象：他者、他物）があります。一人で踊っていると思える時でも踊る場所や見ている（かもしれない）相手があるものです。一般的に言って、相手とかかわるとき、その相手を〇〇として捉えますが、その〇〇を意味といいます。関わるということは意味を見出すことです。人によってかかわる相手に社会的、経済的、文化的などのようなどのような面に意味を見出すか。意味ないとなれば関わらなくなります。好もしい相手だけでなく、好もしくない相手とも付き合っていかなければなりません。その際、相手のことがよく分かっている方が望ましく、

それは相手そのものとともに相手との距離でもあります。相手と相対する場合、お互いの距離感が分かっている方が相対しやすいので、たとえば前以て情報を得るなどいろいろな方法で、距離は測られます。一緒に酒を飲むなどといったことも、まあそういったことです。こちらも相手に距離を計られていると思っていなければなりません。

ひところ、可笑しくないのに笑っている不思議な人種であるといって日本人を揶揄する説がありました。笑いに紛らわすという言葉があるように、笑っているのではなく、ただ笑いながら距離を計っているのです。物事をはっきりさせない、ぼかしたままにしておくという曖昧戦術が、日本で暮らしてゆく上で必要であるような気がします。単にそういったことです。そんな風にからかわれて恐れ入っていた日本人を情けなく思ったものです。ただ、見る人によっては賤しく見えます。

日本人は狐派、黒白はっきりさせないところに生活の知恵といったものを潜ませています。人は、広く民族は、風土的歴史的に創られた生活スタイルというものがあり、どれが善くてどれが悪いかは決まっているのではありません。ただ、訳もなくにやにやしているのは、強者にはあまり見られな態度であるところを見ると弱者のものと思います。アイザイア・バーリンは「キツネは沢山のことを知っているが、ハリネズミはでかいことを一つだけ知っている」というギリシャの詩人アルキロコスの詩断片を基に思索を繰り広げています（『ハリネズミと狐』）。人は、自分が狐派かハリネズミ派かよく見極めてそれに従って生きてゆく、また他人を判断する時も相手がどちら派か分った方がよいと思います。右の足に磨き上げた革靴であるハリネズミ（空）、左の足に馬鹿下駄である狐（色）という履物を履けば、世の中を自在にわたってゆくことができます。敵を知り己を知るという孫子の戦法の凡人版になると思います。相反するように見える二つの考え方を持ちそれらのバランスを保って生きてゆく。

なにごとでもすぐ裁判に訴えてハッキリさせたがるアメリカ人に対して日本人は裁判嫌いで話し合いによる解決、あるいは泣き寝入りを選ぶと言われてます。Aです、というべきところをAではないでしょうか、とつい言ってしまいます。判断をとりあえずあいまいにしているわけです。敬語はどこの言語にも丁寧表現としてあるものですが、敬語が多いことは日本語における大きな特徴とされます。特徴とは、敬語が不必要と思えるほど多いこと、形式までもが厳格に決まっていて言葉の中枢にまでしっかり入り込んでいることです。

敬語とは人と人の間の距離感を表すもので、敬語の使われ方を見ると二人の距離がおのずとわかるようになっています。敬語に富んだ日本語を使う日本人、あるいは敬語を発達させた日本人は、人と人の間の距離感を大事にしている人たちと思います。そういえば笑いも一種の距離感を表すものと思います。笑いが生じるには差異という距離感が必要です。口を大きく開けて大声を出して笑うから軽く表情を緩めくすっと笑うまで、可笑しくて笑うのから嘲り笑うまで笑いにもいろいろあり細かく立ち入りませんが、笑ってよい場合いけない場合、笑ってよい人いけない人があり、そこには距離感が明確に、社会性が色こく、表れています。日本語において敬語がどのように発達してきたか調べれば、日本人というものがよく分かるかもしれません。言葉とは使うものですが長く使っているうちに、逆に使われてしまっているものです。日本人は敬語的人種です。敬語がだんだんすたれているのは、日本人が大きく変りつつある徴かも知れません。

また、日本語の主語は英語などの印欧語と性格を異にします。印欧語では「私」とは、ある状況におかれた私であって、私という抽象的なものを言っているのではないのです。日本語では私とは主体性のない、なんだかフワフワして吹けば飛んでしまいそうなものです。だから主語を省略してしまっても全体的にあまり問題はないのです。あいまいな立場に立っているから、政治家の言葉に典型的なように、何を言ってもあまり責任を問いにくいようになっています。要するに日本語の構造そのものが、主語も述語も、判断を差し控え、相手に同調する仕組みになっています。日本語には判断をさしひかえる形が言語構造そのものの中に多すぎる、生きることの根幹をなす言葉までもがそのようになっているためでしょう、日本語を使っている限り、日本人は客観的な認識に迫れないといわれます。普通に言ったつもりの発言までもが言葉になったとたんに曖昧になってしまっているのです。同じことですが、必要ないと思える時にも、つい語尾に「等（などこ」をつけて全体をぼかしがちです。

人は自分の価値観、欲望・目的などといった知識によって現実をまず理解します（知識の外在化）。その現実が自分の理解でありながら、いったん自分とは独立してある客観的な社会的事物であるように見えてきます。そして人はその現実に適応しなければならなくなります（現実の内在化）。最初の外在化がすべての始まりですから、一つであるはずの現実も人による、その人の知識に基づく、特別なものです。どのような距離感を取るか、とれるかは外在化という理解に依ります。そのようにして現実が客体化され秩序あるもの（制度化）になり安定してゆきます。その制度に統一性と妥当性を与えるものが宗教であると社会学者のバーガーとルックマンらは強調しています。外在化・内在化の過程において、いわゆる忖度（そんたく）過程が膨らみがちなのが、宗教的なものの比重が低くなる日本人の特徴と思います。

忖度とは悪い意味でつかわれることが多くなってきていますが、相手の気持ちをおもんぱかって、その意に添うように言い行動することで、忖度するとは、強いものに弱く敬語を多用する日本人の本質的部分と思います。忖度する人される人。忖度すべき時に忖度できないと日本で生きてゆくのは難しいようです。ただし忖度は物ではなく言葉や行為の賄賂ですから、くれぐれも時と場合に気を付けてください。

15．余白・遊び

・人間の文化は、遊びの中において遊びとして発生し展開してきた（ホイジンガ『ホモ・ルーデンス（遊ぶ存在）』）

・人間は神の遊びのおもちゃとして作られている。それこそが人間の最良の部分である。だから人間はみなそのつもりでもっとも美しい遊びをしなければならない（プラトン）

日本の絵画や音楽などの芸術において余白が重視されています。たとえば風景が描いてあって隅の方には何も画かれずに空白のまま残されていたり、隅の方に文字が書いてある水墨画があります。物があるのは背景において在ります。空白があることによって画が死んでしまうのではなく、逆に空白によってその画は広大かつ奥深い余韻あるものになっています。虚である空白が実である風景を生かしています。あるいは虚実相交わって別次元の世界を生んでいるとも言えます。空白の部分は、描き切る力のある画家が描き切らずに残しているところに趣が出てくるのであって、描けなくて未完に終わっているのではなく、空白部も含めて完了なのです。そして空白部分にはいろいろな風が吹いています。画家は万感の思いを余白に残しその余白は見る者には解釈の余地、画を最高に観ること、を可能にする余地を与えています。

無はすべてのものを生み出す根源です。余白という空白もそのようなもので、画自体が空白によって生かされているような空白でなければ単なる描けなかったために生じた空白・未完成品に過ぎません。「色即是空　空即是色」。万物には自性（それ自体で在る）が在るのではなく、諸縁の絡み合いによって物は依他的にあるに過ぎません。余白の空は是色の空です。ガランドウである空はこの世の物的現象（色）を産みだす元である、というのが大乗仏教の根本精神といわれます。色（狐）と空（ハリネズミ）のどちらも単独では片手落ちで、色即是空　空即是色の両者揃って意味があります。

日本に特有な詩に俳句があります。俳句は極めて短い僅か17文字の詩ですから、わざと言い切らない、暗示するなど余白を残すことに、余白によって読者の想像力を掻き立てるところに芸術となる余地があります。そこから想像が膨れ上がってくるような余白が残らなければ俳句を作る意味はありません。芭蕉も言っています「言いおおせて何がある」。たとえば「足し算は2にあらず（ガウス）」足し算は2というのは1＋1が省略され、それが天才数学者で正直なガウスと結びついてパッと目の前が明るくなる。

人は余白を残すことによって自分を大きく見せることができます。文字が極端に少ない俳句だから逆に広大な世界を描き得ます。狭い世界から抜け出していないのは句ではありません。形あるものが在るから形なきものが、しかもいろいろな形をとって見えます。見えるものが在るから見えないものが見えます。見えていないものが見えるようになるのが生きたということです。話は飛躍しますが、悟りはこの現実世界を離れて見えないところにあるのではなく、見えている俗世である穢土こそが浄土なのだ。穢土が浄土に見えてくるのが悟り。

余暇とは真実の声に耳を傾けるために必要不可欠な時です。余暇は人間の在り方、精神の状態を示す言葉であって、それをいかに過ごすかに人生そのものがあると言えます。子供の遊びは、心を発達させ社会に組み込まれるための、単なる遊びではなく大人になるためにとても重要な要素です。子供のころ、仲間と遊んだ経験の有無、大小はその子供にとって一生ついて回ります。

真面目さは大事でそれを欠いた人生は空しいものです。が、まじめ一方でも面白くありません。遊び心が混じっている、ゆとりがあったまじめの方が物事をスムーズに進めます。遊びという言葉にはいろいろな意味があって、ゆとり、余裕、あるいは機械の部分と部分が密着しないでその間にある程度の隙間いわゆる遊びがあることなど。遊びのない関係は危険です。

余暇において人が何をするか、何ができるか、その人にふさわしい生き方ができるか否かで、その人は決まるといっても過言ではありません。余暇とは労働のために力を蓄える時と考える人も多いと思いますが、休憩時間、自由時間などではなく余暇は労働と次元を異にする労働の対極ととらえるべきものです。ヴェブレンの『有閑階級の理論』によると（依らなくても）、働かないで生きてゆけるのは力があること、有閑階級に在ることの誇示です。浪費できることこそが力である。かれは有閑階級を批判的に見ています。

忙時は閑時のため。閑時は忙時のため。忙しく働くのはそのあとにくる余暇を楽しく過ごすための捨て石。人間の時間は、働いている、働いていない、眠っている、の三つに大別でき、量的にほぼ三等分できます。働いているのが色なら、ゆったりしている余暇が空。片方に色即是空、他方に空即是色というレンズを持った眼鏡をかけて両眼視で初めて物はよく見えます。色即是空は別の言い方では、一切（多）即一。空即是色は、一即一切（多）です。すべては或る根本的なもの（空虚）から生じ、根本的なものは内にすべてを含んでいます。

すべての人になにがしかの長所があり、それに気づくことができればその人は成功するチャンスをもっています。自分はなに者か、何をするために生まれてきたかと考え続けている人が天職という長所に巡り合うことができます。われわれはいい加減なところで妥協してしまい、不本意ながら偶々出会ったもので一生を使ってしまいがちです。自分に、自分の求めているものに気づくことができるのが余白であり余暇です。

参考：ヨゼフ・ビーバー『余暇と祝祭』

16．関係と孤独

・どんなに些細であっても、たった一度の事であっても、他の物の作用を受けるものだけが本当に在ると言えるのです（プラトン『ソフィステス』）

・孤独になってそれに耐える、魂を内に向ける能力が人間を一層の高みへつれてゆく
・大いなる孤独がなければ真剣な創造などできない（ピカソ）

すべてのことは相対的であって、どんな事実であっても他の物との関係があってはじめて事実でありえます。新幹線の中に居る人（乗客）と、外に居て列車を見ている人とでは見えるものがまったく違います。中でも外でも人は動いていなくても、お互いにとっては相手が動いて見えます。座標軸の取り方が違うからです。

世界は関係でできている、関係の連鎖です。関係こそが第一義的であって、事実は関係の結節点に過ぎないとするのを関係主義（カッシーラ）といい、一切の事物は固定的な実体を持たず様々な原因や条件・縁がより集まって成り立っているという仏教の縁起説がその代表です。この世は、絶えず相互に作用しあっている濃密な相互作用の網です。一つ一つの物はその相互作用のありようそのもので、他と何の相互作用（関係）のないもの、何にも影響を与えず与えられないものは存在しないに等しいものです。そこから導かれるのは、事実は相対的であるにすぎないということです。何ごと何ものとも関係ないものは幻に過ぎません。

仲間がなくて一人ぼっちで他から隔離状態にあることを孤独と言います。普通あまり好ましくない状態といわれますが、平静と静寂を感じさせるのでポジティブに見ることも可能です。しか

し、人は誰でも他人と違うのだから孤独であるはずですが自分を偽って群れの中に安らぎを見出しがちなものです。孤独には、他から離れて単独でいるのと、大勢の中に居ても一人でいると感じるのの二種類があります。

人間は一人で生まれ独りで死ぬものです。孤独に耐えることは人間的に成長することを意味します。起きている四六時中誰かとともに居ると、自分の時間というものがなく、創造的であることはできません。群れを離れて関係を解き、孤独の中に生き活用できる動物は人間だけです。一匹狼はいっています「誰かといて不幸になるより、ひとりでいて不幸になるほうが増しよ」。常に大勢の中に居て他者の目を自分に内在化させるのが習い性になってしまったら、新しいなにごとも為すことはできません。孤独な者よ、君が歩いているのは創造者の道だ（ニーチェ）。創造的な人間は孤独を必要とします。彼はあらゆる価値から自由である強者の自覚をもつものです。関係のクモの巣は凡人のエデンの園、非凡人の墓場。

しかし、孤独に身を置いて他者の目線から離れることは、なにを創造しなくても凡人にも必要な時があります。自分のことが分かります。

6章　息る――修行と観照

・人間のすること為すことは呼吸のリズムと一致しているとき、うまくいく
・呼吸は人の動きの中心にあって、あらゆる動作をコントロールしている。呼吸が乱れると動きも心も乱れる。呼吸をコントロールする・していることは、自分をコントロールする・していることである
・旅では、見るもの聞くものに全身で没入し、旅のことは旅にききながら、それによって己を深めてゆくことができる
・形（身体）は神（精神）を恃（たの）んで立ち、神は形を須（ま）ちてもって存する（嵆康『養生論』）

生きるとは突きつめて言えば呼吸。オギャーと息を吐いて生れ、フーと息を吐いて死ぬ。これが人間の一生です。ギリシャ語で息を意味するプネウマはまた霊すなわち生命の原理を意味し、呼吸は生命そのものということを端的に示すものです。だから生きることを息るといいます。

人が生きているということは、肺で呼吸し心臓が動いて、肺から入った酸素を含んだ血液が全身を巡っているということです。それ以外の体の動きはいかに重要であっても二次的なことといわざるを得ません。肺と心臓のどちらがより重要かといえば、肺から酸素が入らければ心臓は動かないし、心臓が動いて血液が来ないと肺は動けないということで、両者同等です。ただ、呼吸

は人がある程度コントロールできるが心臓はそうではないので、呼吸をいかにコントロールできるかが善く生きていく秘訣です。人間の各種の修行や運動のポイントは呼吸法にあると言われるゆえんです。呼吸とは、単なるガスの出入りではなく、身体全体そして心の動きです。

長く息を止めたり、逆に速めたり。こういったことを「呼吸法」といい、複式と胸式という二つの呼吸法のうち腹式呼吸が瞑想、インドのヨガ、坐禅、中国の気功、日本の静坐などに取り入れられていて、健康増進に役立てられています。呼吸には上中下があります。上の呼吸とは、横隔膜を下げることによって肺を広げ空気を腹の底（丹田）まで、同時に宇宙の精気も深く吸い込む（といった感じで）吸気を一気に行い、次いでゆっくり吐いてゆく腹式呼吸をいいます。腹の底とは、横隔膜が下がり腹腔内臓器が下方へ押し付けられた状態をいい、空気が腹腔へ入るのではありません。腹腔には自然状態では空気は存在しません。姿勢を調え、呼吸を調えることによって心を調える。調身・調息・調心を一連のものと捉え、それを修行の手段とすることが世界各地で行われています。それぞれの方式に従って動でも静でも姿勢が決まっていて、そのうえでまたその修行方式にのっとった呼吸を行います。中の呼吸は胸で行う胸郭の運動としての呼吸、下の呼吸は空（気）がどのように動いているかという自覚のない呼吸です。

生物である人間は、呼吸をすることによって生きています。いのちが尽きるとき、心臓と肺は停止します。この二つはペアーで、前述のように心臓だけ肺だけが動くということはありません。

いのちの根源はつきつめれば宇宙とつながっている肺にあります。呼吸は小宇宙・ミクロコスモスである人間と大宇宙・マクロコスモスである宇宙をつなぐもので、意識的な呼吸を続けると自分と広い世界とがつながっている、自分の中へ全宇宙が入ってきて、また出ていることに気づかされます。呼吸を意識しているということは、生きていることを意識・実感していることに通じます。

呼吸自体はもちろん、呼吸の仕方も心の状態に大いに関係があり、坐った不動の姿勢と腹式呼吸とを組み合わせて心を安定させる修行法に坐禅や静坐があります。身体を調える調身・呼吸を調える調息が、心を本来の居場所である「体・心」に戻し調える（調心）という考え方です。この状態で観ることを観照ないし瞑想と言います。瞑想というからには想（おも）うことですが、何も考えなくても良い、考えない方がよいという見方もあります。ヨガ、坐禅、静坐などいろいろな方法があり、歩くことと呼吸が心地よく連動していたら、歩行も広い意味で同じものとみなすことができます（歩行禅）。

人間の基本的な感情である快・不快を体が感じているときには、心にも同時に変化が起こっています。体が心地よく感じているときは心も快を感じています。そういったときには、全身の力が抜けていて規則的で静かな呼吸をしているものです。呼吸法によってもたらされる効果には、いのちが新しくなることの他に心が落ち着くことが知られています。腹式呼吸を続けると心が鎮まるのは脳内の神経伝達物質であるセロトニン分泌が増えるからと説明されています。怒ったりイライラしているときには、頭に主導権があって浅く短い呼吸をしています。そのことに気が付いたとき、頭型の浅い呼吸から心型の静かで深い呼吸に切り替えて落ち着くことができます。このように、頭を主体にするか体・心を主体にするかは呼吸の質で切り替わります。身体を心地よい状態へ自分の力で持ってゆくのが静坐などの呼吸法です。

1. 感情

心・精神の働きを知・情・意に分けたとき、情的過程全般を感情といい、喜怒哀楽、好もしい、美しいなどのような、人が状況や対象に対する態度あるいは価値づけをする心的態度を言います。感情は情動（emotion）、狭義の感情（feeling）、気分（mood）に分けられていますが、明確には説明できなくても、強度や持続の差から区別され、強度の強い順に情動、感情、気分となります。怒りや喜びは強いもので情動、イライラやウキウキなどは弱い感情で気分といい、いわゆるムードです。広義の感情は、外に現れた動的な部分（情動）と内に隠れた静的な部分（狭義の感情）に分れます。感情や情動は直近に起きた具体的、個別的な事柄が対象であり、気分は長期的に起こった複数の要因が元になっていて、いろいろなことがうまくいかないときに生じるイライラや鬱々とした気分です。対象や他人のうちに自己の感情を投射して、それを対象固有の感情とみなすことを感情移入といいます。

感情に支配されるより、感情とうまく付き合っていくに限ります。感情はほんのわずかであっても身体とくに表情に反映し、その人をよく表します。目の前にいる人について、多くの情報から知るよりも、ほんの一瞬かれを見るだけでそれら情報の総合よりはるかに多くのことを一挙に知ることができます。

情動は怒り・怖れ・喜びや悲しみのように比較的急速に引き起こされた一時的で急激な感情で、発汗や顔面紅潮といった体動すなわち自律神経系の興奮があります。いかなる時にであっても、良し悪しは別にして感情こそが決断をもたらします。情動の多くは、外に現れた動作ないし動きで、狭義の感情に先行します。情動には一次的情動と社会的情動があり、前者は基本的に個人的な情動で喜怒哀楽で代表されます。社会的情動は他（個人でも集団でも）に対する、他があることに伴うもので共感、当惑、羞恥心、罪悪感、誇り、嫉妬羨望、感謝、称賛、憤怒、けいべつなどがあります。

気分は、恒常的ではないが、長くある期間持続する比較的弱い感情の状態です。感情・情動と気分を分ける基準としては、強度、時間、傾向性などがあげられます。爽快な気分、憂鬱な気分などといった風に使われます。気分は感情の傾向性、気分は感情を抱きやすくする状態と言えます。たとえばイライラが怒りを、鬱々が悲しみを発生させやすくしている潜在的な感情であるといえます。また、感情の対象ははっきりしているのに、なんとなく気分が晴れないなどのように気分の対象は明確ではありません。感情が怒りのように持続の短いものとすれば、気分は長くときに一日中続くこともあります。

人間を人間たらしめている大事な宝物とされる理性も感情とくに情動にはかないません。そもそも理性とは一皮むけば感情という大海に浮かんでいる弱々しいものです。

感情の本質

感情とは、自分を取り巻く状況がもつ価値にたいする反応です。考えるという心の状態が成り立つときには、なにかについて考えるという考える対象があり、対象があることを志向性といいます。感情にも志向性があって、何らかの対象に対して感情は向けられていて、その対象が価値です。感情の対象には二つの意味があり、感情は人間や蛇などの具体的な対象に向けられているばかりでなく、その対象が自分にとって良いものか身の危険などといった悪いものかといった価値を評価するという役割をもっています。感情とは危険などといった価値を捉える思考と、価値に対処するための身体的な準備、心臓の鼓動が増し全身に血液が巡るなど、の組み合わせと言えます。

感情は知覚の一種、視覚などの他の感覚と同じような知覚です。外界の対象が網膜に作用して物が見えるように、感情の場合もその始まりには対象があり、その対象の特性が一連の信号を誘発して脳内に、見えるに相当する変化である感情を起こします。狭義の感情は情動という反応的プロセスの結果であり「感情は、ある特定の形で存在する身体の観念（ダマシオ）」です。すなわち特定の質（快・苦、良・悪など）を有する情動という特定の身体状態によって引き起こされる知覚が感情です。

感情の本質をなす知覚の始まりは次のようです。身体という普遍的なモノ（対象）があって、そのモノの各部は脳構造と一対一的に連続的にマップ化された部分（身体表象マップ）から成り、知覚の始まりはさまざまな身体状態が対応する脳におよぼす刺激です。感情の直接的基盤は、身体からの信号が脳の感覚領域と一対一的にマッピングしていることにあり、感情が先にあって情動が引き起こされるのではなく逆です。心臓が速く打ち筋肉が緊張している身体状態が脳に反映した結果が怒りという感情であって、怒りが心臓を早く打たすのではない、というわけです。眼が開いて物が見えるのと同じように、身体の特定の状態が特定の感情を生みます。常識と逆のように感じられますが、どうも本当のようです。

真実には科学的と感情的、いいかえれば客観的と主観的の二種類があります。科学的真実は普遍的でどこへ出しても通用するものですが、それだけでは息苦しく感じる人も少なくありません。限られた、ある狭い範囲にだけ通用する感情的な真実（ディープストーリー）があって、ときに大きな力を発揮します。それは、感情が語る「あたかもそのように感じられる物語」のことです。事実に基づかない偏った考えが核にあって、そこに都合の良い情報だけが取り入れられて膨らんでゆく物語のことです。アメリカでは最近になって、かつては主流であった白人中間層が必ずしもそうでなくなって、居心地悪く感じているが、なぜそうなったかを説明してくれる心に響くように作られた物語がディープストーリーです。たとえば、仕事がないのは移民や非白人が優遇されているから自分たちは割を喰っている、などという事実に基づかない作り話・ストーリーが貧しい白人の心情に訴え、かれらは飛びつく。かつての圧倒的だった白人の社会的・文化的・経済的な力が傾いてきて「自国に居ながら異邦人であるといった感覚に陥り、そこから解放してくれるポピュリストの発するディープストーリーから感情的利益を得て拍手喝采する。(『壁の向こうの住人たち』ホックシールド)」

感情の本質は何かというといろいろな見方がありますが、心理学では感情についてダーウィン説、ジェイムズ・ランゲ説、認知主義、社会構築主義などが歴史的な流れに沿って出てきた基本理論とされていますが、最近では思考的側面と身体的側面が主である(二要因説)という考えに収斂しています。感情と表情の関係に注目したのが進化論をとなえたダーウィンで、感情を研究した最初の近代的学者でもありました。ダーウィンは、感情はしばしば顔の表情として表現される、といっています。それを発展させたエクマンらは怒り、嫌悪、恐怖、幸福、悲しみ、驚きの六つの感情と表情の間には多くの民族や国民において共通するものがあって、そこには普遍性があるとしました。表情は感情の一部なので、表情から感情を見ることはある程度できます。しかし、笑いや泣くのを見てもその深い意味は分かりません。

プラグマティズムの提唱者のひとりであるアメリカの哲学者W・ジェイムズは、感情は身体的に表出されると確信していて「身体的変化は自動的なものであって、ある感覚が刺激されると、身体的変化と結びつく」としました。要するに身体のみが感情を本当に知っている、という訳です。おなじころ同様な感情理論を主張したのがデンマークの心理学者カール・ランゲです。感情が生じるのはまず身体反応であり、次いで思考（解釈）が生まれる。泣くから悲しいというように、感情は身体反応の解釈であるというジェームズ・ランゲ説は身体反応の重要性を強調するためのものです。

認知主義とは、外から観察できない心の世界を数学的・言語学的なモデルを用いて解明しようとする立場で「感情を惹起するには、対象がなんらかの形で人に直接的に影響をおよぼしていると客観的に評価されなくてはならない」。しかし、認知主義は感情を理性的なものと捉え過ぎているとして、人間の行動や動機の理論の非理性的な側面を回復させようと考える人たちが現れて、かれらは感情に先立って何かがあることを主張し、それを情動であるとしました。トムキンズによると「情動とは、生物に生得的に備わっている第一の動機づけのメカニズムであり、衝動遮断や快楽よりも、緊急の身体的痛みよりも切迫したものである」。感情や情動も、ふつう考えられているような単なる心の動きといったものではなく、なんらかの意味で生命調節の基本的メカニズム、命の管理のための自動的に備わっている装置、生命の防護作用の一環であると思われるようになってきています。情動や欲求そしてより単純な調節反応は、身体の生物学的な管理をより容易にするように進化してきたと考えられる「生来的に賢い脳」に導かれて、身体という劇場で起こります。

情動は身体において始まるが周囲世界に向かって溢れ出して終わります。身体は周りに在るものによってのみ知り得、周りに在るものは身体との関連によってのみ意味を持ちます。身体は周囲世界と深くかかわっているので、身体を取り囲んで身体と共振するものがなければ、なにも存在しないと同じことです。人は経験と習慣によって人であるのです。

参考　ブルデュー『実践感覚Ⅰ、Ⅱ』　ダマシオ『デカルトの誤り』
ローゼンワイン他『感情史とは何か』

感情・情動のコントロール

・故のない非難を受けたとき、僕はいつもより長い距離を走ることにしている。腹がたったらそのぶん自分にあたればいい。悔しい思いをしたらそのぶん自分を磨けばいい。黙って呑み込め

るものは、そっくりそのまま自分の中に飲み込むよう努めてきた（村上春樹）

感情は一般的に言って自分のコントロール下に置くすなわち抑制されたものであるときにはその人の価値を高めます。好ましい感情、幸福や同情などは控えめに喜びを表し、怒りなどの激しいものであっても控えめに表現するのが善く、いずれにしても過度な感情表現は好ましくなく、ときには見苦しく嫌悪さえされます。自制の第一歩は、自分の感情を距離を置いてみる一種の修養で、そこから徳が生み出されます。なにが正しくなにが誤りかの最初の知覚は、直接的な感情と感覚の対象であって、理性の対象ではありません。毅然と抑制された無言の悲しみには他人は気品と慎みを感じ敬意を払います。逆に怒りに堪えることなく荒れ狂う態度は見ていて嫌なものです。

身体を使って感情を抑える。情動が襲ってきても、自分の体内に秘めた力で打ち克つ。そのような力を養うのが修養です。何かに打ち込むことを真剣に。野菜作り、物作り、学問などに心を籠め、工夫を加えながら長年続ける。あるいはスポーツ、武道、芸事、囲碁将棋、坐禅とか静坐に打ち込む。静坐を続けその方法に習熟すれば、起こってくる感情を吸気と共に肚に収め、そこで暴れさせ加工することができるようになります。いわばアラビアンナイトでよくある魔物を瓶に入れて蓋をするという例のあれと同じ。坐禅も同様。瓶の中で魔物は大人しくしていますが、外へ出ると大暴れです。静坐時に、感情を瓶中魔物のように肚の中で捏ね回し物（ぶつ）が仏になったら出してやるのが上々です。

怒りを鎮める最上の方法は代案を考えることです。が、怒っているときに代案など出てきません。代案が出るときは実はさほど怒ってはいないものです。怒りを思い切り発散されると収まることを利用してrage room（激怒の部屋）というものがカナダのトロントにあり、そこでは金を払って金属バットで思いっきり何か（ワープロ、相手の像など怒りのもとになったもの）を叩きまくらせています。気が済むまで叩くと怒りを忘れ平常心で仕事に復帰できるそうです。

感情の二要因説は、身体反応は感情の一つの部品、身体を物理的に変化させそれによって感情に影響を与える手段であるというものです。たとえば、一呼吸置くとある種の余裕が生じて、他人の感情、他人がどう感じているかに顧慮できるようになります。感情自制の第一歩は、すぐ反応しないで深く息を吸い込むなど間をおくことです。間を置かずに反応すると自分でも予期しないことが起こりがちです。他人の感情への配慮が加わると自分の感情を自制するという徳に近づくことができます。

何かに打ち込むことを真剣に長いあいだつづけていると、強い情動に対して一呼吸置くことができるようになります。なぜなら、身体反応が感情に先立つからで、身体反応と感情の短い間という隙間に当人が介入できるからです。静坐を長年続けその方法に習熟すれば、起こってくる感情は自然に吸気と共に肚に収まり、そこで暴れさせ加工することができるようになる、と思います。

「せぬ時の静坐」、日常が静坐（あるいは坐禅）という言葉があります。常住坐臥、坐っているとき、立っているとき、歩いているとき、横臥しているとき静坐の呼吸ができていれば、感情が激する前に高ぶった感情を肚に閉じ込めることができる。こうなればその人の静坐は本物と言えるでしょう。

2. 自我

・我が、はか（計）らざるを自然と申すなり（『歎異抄』）

・汝ら、改悛の門に入る者はすべて自我をすてよ

・心をもてはかることなかれ、言葉をもて言うことなかれ、ただわが身をも心をも放ちわすれて、仏の家になげいれて、仏のかたよりおこなわれて之に従いもてゆくとき、力をもいれず心をも費やさずして、生死をも離れ仏となる（道元『正法眼蔵』）

・人間の自我は孤立したものでもなければ、無から生まれるものでもない。自我は他の人間とのかかわりを通じて、その相互作用において社会的に形成される（ミード『精神・自我・社会』）

・個人的な苦しみの充満が彼を自我の狭い器に穴をうがち、そこから個人的なものの彼方へ無限

へ至る通路を開く（ジンメル）

・小我が失われれば、宇宙我が現れる。

「われ在り」という自我がわたしたちが生きている中心にどっしりと据わっています。自我とは自己意識です。自我は、意識や行動の主体を指す概念で、自己自身の存在を前提とします。自我は、自分はもちろん他（人、物、事）をも客観的に見ることを妨げるヴェールとなります。自我には、自己に固執する小我と自己を真の自己たらしめる真我からなります。小我がもたらすのは嫉妬、過信・過度の思い込み、被害妄想、不信感、疲労など。それゆえ、自我を如何に減らすかが生きていく、善く生きていく上の重要事とされるのです。「お前は、自分は世界で一番大事なものだなどと思っている限り、まわりの世界を本当に理解することはできない。お前は目隠しされた馬みたいなものだ。あらゆるものから切り離された自分しか見えないのだ（カスタネーダ『ドンファンの教え』）。小我を減らし真我を育てるのが人生。

自我が前面に出るのが若いころの主我期、そうでないと人生は始まりません。自己主張的でないと何事もなしえないが、いつまでも主我的であっても仕様がありません。経験を重ねるにつれて自我が引っ込んで行き、自我と他我がよく調和し最終的には無我主導期になってゆくのが人間の理想的な成熟の姿といわれます。我というものが自然に抜けて楽になってゆくのが人間の成熟というわけです。

人類という動物は生れ落ちても本能が未発達で、生物学的に成長しきっていないうちに生まれてしまう動物です。子宮外胎児期とでもいうべきこの期間において、身体が環境との相互作用の中で完成へ向かいます。この期間は、他者に媒介された特殊な文化的・社会的な秩序とも関係し、身体の発達とその生物学的存在そのものの大部分は社会的に規定されています。人間の身体がその環境との相互関係の中で発達してゆく時期は、同時にまた自我が形成されてゆく時期でもあります。自我の形成は絶えず進行していく身体の発達と、環境が意味ある他者によって媒介される社会的過程との双方との関係において理解されます。

他者との関連を役割取得といいますが、子供のころの親兄弟との関係、ままごとなどの仲間とのゴッコ遊び・ゲーム遊びなどを通じて他者の期待に応えてゆくようになります。具体的には遊びのルールを取得することです。こうして他者の期待に応えてゆくことによって自我は形成され発達する、言い方を変えれば、自我は社会で育つ、社会という服を着せられ社会に染まってゆきます。しかし、染まりきる（社会化過剰）のでもなくて、自分自身と他者の解釈という相互作用を展開し自我を完成させます。この過程において他者の期待に答えると客我が主我によって修正されます。役割取得によって形成される自我に二つの側面があり、ミードはそれを主我（I）と客我（me）と表現しています（参照第5章　社会学）。

ひとは集団生活の形態に順次、段階を踏んで合体してゆきながら、しかも独立や自律をいささかも失わないという能力をもっています（ミンコフスキー『生きられる時間』）。われわれ生物は一定量のもの（いのち）をもってこの世にうまれ、年年歳歳それを使って（躍動しながら）生きています。尽きれば死ぬのです。使い切らないうちに身体とくに頭脳が参ってしまうことが「いのちと体のミスマッチ」。

ヘーゲルは『精神現象学』において、自己意識（主）が、対他意識（客）を経て最終的に主客が一致する絶対知に至る道筋を意識の発展として捉えました。言いかえれば、他者における反自己的なものの発見を通じて、自我独走という自己疎外からの回復という自他を超えた普遍的な自己がもたらされ、普遍を基とした真の個体としての自我が成立するに至ることを示しました。社会にうまく溶け込めば自我に苦しむことはありません。

自我は社会的に形成されるものと言っても自我（真我）がなければ、骨なし人間で自分らしく生きてゆくことはできません。骨がなければならないが、それは程度問題で、歪んで形成された り過剰にある自我（小我）がよくないのです。リンゴは赤いものが美味しいけれども、中まで赤くては美味ではありえません。人間は、リンゴの赤に相当する小我で自己主張をしていますが、小我が強すぎて（中まで赤いリンゴ）でも逆に生きる上での障害です。リンゴの皮がだんだん赤くなるように、人間は自我ゼロの状態で生まれ、生きて周囲と接触して成長するうちに、赤い皮という自我が芽生えて放っておくと肥大化します。しかし、自我はあくまでも皮にすぎないで、実である本体（真我）は別に、なければなりません。面子（メンツ）を重んじる中国人は「木は皮が大事」と言いますけれども。

3．神秘主義

・対立の一致、分裂の統一をもたらすのは神である（15世紀の神秘主義哲学者N・クザーヌス）。
・われわれは光を超えたその闇のところに行くことができよう。また、見ることも知ることもなしにすべてを超えている方（神）を、見ることも知ることもなしに、知ることができるよう祈ろう。実際、そうすることこそが真に見ることであり知ることなのである（偽ディオニュシオス『神秘神学』）
・「南無阿弥陀仏」を何万回もくり返すことによって、阿弥陀仏を観る、仏と一体化することができる、極楽浄土へゆける（悟る）

ものごとの大部分は人間には隠されているが、修行によってそれら、特に神が見えるようになるというのが神秘主義(mysticism)です。人は経験を積み認識を深めるにしたがって物事の深部へ進んでゆくことができ、表面的な観察によっては見えない隠された真実に迫ることができます。

知る自分も知られる対象も多くの層からなり、深浅があります。大きな音しか聞こえない者、かすかな音も聞く者がいるように表層しか見えない者、深層まで見える者がいます。深い層にあるものとは、具体的には物事の真実や自己の真実・本性です。神秘は深い内的経験にて得られる崇高にして美味なものとされ、外からくる他の認識を超越したものです。無限である神と一致しなければ人間はなにごとも正しくは知り得ないのであり、人間の魂の神的源泉への帰還・一致を「至福直観」への希望として促すものです。

人は、人智を超えるものがあると信じる者とそんなものはないと考える者の二種類に分けることができます。前者が極端に走ると、人智を超えるものたとえば神に近づくことができる、あるいはその超えるものになることができると考えるようになります。神秘主義といい、世界中の宗教に見られます。たとえば中国の道教では修行を積むことによって仙人になれると信じています。

われわれが簡単に「在る・有る」と言って済ましている現実の世界は、その「ある」のうちには根拠をもっていません。有・色の反対である無・空の内部に感覚では捉えることのできない充実しきった力が潜んでいて、何かの拍子に外に向かって突出してきて見えるものになってききます。その見えないものに気づくのがいろいろな方面とくに芸術・芸能の世界の一流の人士である資格です。真の研究者とは、研究対象に対する理解が深まるのと軌を一にしてものの見方一般が深くなると湯川秀樹はいってます。あることがらを会得するその知が、会得の過程において同時に、知る自己自身を内から変えてゆくものです（西谷啓治）。深くならない、変わらないのは対象を極めるに至っていないのです。常人には見えないものを見てキャンパスに描く画家たとえばピカソ、聞こえない音を聞いて五線譜に記す作曲家たとえばモーツアルト。すなわち有（色）の世界は無いに根拠をもっています。常人には空無であるものに有を感じるのが神秘主義。前述した古代ギリシャの賢人が生命の奥底に活動していると観たゾーエー。分かりやすい喩でいうと、鶏卵の内部は均一ですがそこにはゾーエーが充満していて、いつかそのある極小部分に変化が生じ、そこが広がってヒヨコの誕生にまで至るということをイメージしていただければよいかと思いますます。均一に見えるものの中にヒヨコを見る。

神秘主義は、絶対者・究極の存在者と一体化（神秘的合一）を目指す行為のことです。信じるとは厳密に言えば信じる対象と一つになることだからです。感覚の把握する限りのものだけではなく、思惟が見ていると思う限りのもののいずれをも後に残して、つねにより内なるものに入りゆき、遂には見得ず知り得ぬ「かのもの」に参与し、そこにおいて神を見る。神の深みに達する人は完全に真実を知ります。すべては信・信じることに始まります。

無限なものと有限なもの、神と人間、が関係しうると信じるのが神秘主義。本来かかわりのない二つのもの、たとえば具体的なものと抽象的なものを何らかの類似性をもとに関連付けることを象徴作用といい、具体である人間と抽象である神が結びつくというのが神秘思想です。

無限なものの認識に近づくために思惟が用いることができるのは、厳密な概念ではなく、むしろ象徴です。神の「一性」の無限の充溢は被造物である人間には象徴的に開示されるに過ぎません。無限なものは無限であるがゆえにすべての有限なものを包含する。対立物の一致と言って直線と円は別の図形であるが、無限な線があればそれは同時に直線でも曲線でもある。円を無限に拡大すれば辺縁線は直線。

各種の修行もその究極において神と修行者をつなぎ得ます。文字の表面的な解釈からはうかがい知れない真理がある。単なる修行を超えた何かがある。表面から真相・深層へ向かう道が信。キリスト教徒にとって真理とは神であり光である。だから聖書を霊的に精読しなさい。キリスト教徒になれば生まれ変わってまったく新たな別の人間になることができる。「人もしキリストにあらば新たに造られたものなり（パウロ『コリント後書』）」。

熱烈なキリスト教徒が十字架を見ることとは、人間のために罪を引き受けてくれたイエス・キリストの受難の姿を見る事です。自分自身の生の全体がいわば十字架上で死んで、もはやいかなる罪に対して動かされることはない、ということを象徴的に意味します。修行の基本は身口意の三業を整えるといいますが、まず、姿勢を整えて、次に呼吸を整える。呼吸が整った時点で心が整う。これが一つの修行の基本パターンです。回峰行は歩きながら禅をするということで、歩くときに姿勢を正し、上半身をきれいに立った状態にする。一木一草それぞれに仏性を感じて生きる

（千日回峰行を果たされた光永師）

努力によって神と一つになると信じなければ努力はできません。ただ、それは残念ながら当人の思い込み妄想にすぎないで、文字通り一つのもの同一なものになるという神秘主義は原理的に不可能です。が、努力の方向として意義あることと思い実行している人達がいるのも事実です。

4．修行

・身体から心に入る行は、間接的であるが他面着実であり心を澄み透らせ意志を強固にし、信念の人を作り上げる（宗教学者・岸本英夫）

・もろもろの事象は過ぎ去るものである。怠ることなく修行を完成なさい（ブッダ）

身体をきたえることを通して、主体としての自己の究明をするというのが古くからの日本人の生活態度すなわち道を究める、でした。ある事柄を知るその会得という行為が、会得の過程において、同時に知る自己自身を内から変えてゆく。その変えられた自己からさらにその事柄の一層深く広い会得が生まれてくる。

育ちすぎた自我はその所有者を縛りつける働きをするので減らすことが求められます。自我がありすぎることを反省して、それを抑えてゆくために人はさまざまな努力をしていて修養とか修行といわれます。身体を通して心に働きかけるのが「行、修行」です。それは一定の目的を持った意識的な行為・動作によって心を鍛える、すなわち身体を通して心に影響を及ぼすことです。行為だから身体が主となります。行は続けないと意味がないし、続けること自体が行です。ラジオ体操は簡単で短い運動ですが、何十年も続けていると立派な行になりますが、飽きて止めてしまってはたとえ激しい行であっても単なる時間の無駄に過ぎません。インドの古典『バガヴァッド・ギーター』は、「あなたの職務は行為そのものにある。決してその結果にはない。行為の結果を動機としてはいけない」と、目前の行為にひたすら専心することを説いています。欲望を動機として果を願ってはいけない。始めたら結果を気にしてはいけない。本稿では修行の代表として静坐と旅を挙げます。

団体競技において、各選手は自分の役割、他者の役割を心得てゲームに参加しているが、自分の判断を優先し他と関係なく勝手に動きまわる者がいるとそのチームは多くの場合負けます。人間において勝手に動きまわる競技者に相当するのが自我です。修行というのは突き詰めていけば自我をチームの邪魔にならないように極力無化することです。自我は自分が育てたものですから自分で無くすことは大変な努力を要します。自我を減らす努力を修行といいます。道元『正法眼蔵』の「諸悪莫作」の巻に「人は悪があるところに住んで往来しているので、悪を行ってもおかしくないけれども、修行した人は、自分で悪を為すことはない」とあります。その悪を自我に置き換えれば自我と修行の関係を言い表すことができると思います。

自我を減らすことは、あらゆる道徳や宗教において極めて重視されています。自我の消滅には段階があって、第一段階は自我の存在に気づくことです。自我に気づくとはすなわち罪の意識をもつ、なんと己は罪深い人間だとわかることで、それはあらゆる宗教の根幹にあります。それからあとは宗教や人によって差がありますが、大筋は似通っていて、まず仏教でいう涅槃、心の邪悪な状態が無くなること、いわゆる浄化の生活に入ることです。最終段階は、主観を交えずに冷静に対象を見つめる観照、知恵をもって事物の実相を見るに至ります。観照と観想は、照で外を想で内をよく見ることでほぼ同じ意味で、英語で凝視を意味するcontemplationはまた観照・観想でもあります。

心が過剰に表へ働き出ることを止めて、自我の少なくなった状態が悟り。肉体を鍛えることによって自我を減らす試みを修行といい、それは自我を無くす・無心になることを期待します。能楽の最高の段階（幽玄）に達した芸は、「能を究め堪能そのものに成りて闌たる位の安き所に入り伏（没入）してなす所の態に少しもかかわらで、無心無風の位に至る見風妙所に近きところにてやあるべき（世阿弥『花鏡』妙所のこと）」。たとえばギターという楽器を奏するときに、初期には私がギターを弾いているという意識がはっきりあるが、上達するにつれギターを奏しているという思いが意識から去り、ついには我もギターもないという境地に達する。しかし最高の境地

（無心）においては、わたしがギターを弾いているという意識は戻る（われありギターもあり）ものの、私とギターという主客はもはや対立してはいない、といわれています。いわば私とギターを含む世界（井筒俊彦の言うフィールド）という生命エネルギーが無心に全開しています。無心とは、心がないのではなく心はしっかりあるが、何ものにも囚われない柔軟な心（無所住心）。自然（自ずから然る）に自己が放下されるとき、阿弥陀仏の方から救いがやってくる、というのが浄土教などの他力宗の教えです。

日本人は、仏教の修行論を基として、芸術の本質を理解しようとしてきました。修行の目標である悟りに相当するものが芸道にもあり、たとえばよい歌を作ろうよい画を描こうとする心の訓練が芸の完成をもたらします。和歌でいう幽玄（藤原俊成）のように。色即是空は日本では日常的に、たとえば「そんなことを言ってもどうにもならないよ。色即是空さ」などと訳の分からない使い方がされていますが、ほんとうは、色は日常的経験的立場（天台宗では「仮」、華厳宗では「事」）であり、それを空の次元（諸行無常）に高めることが修行です。空観あるいは「従仮入空」といわれます。

5. 静坐

・気を体内にめぐらす方法（交気）は、まず深々と息を吸い込んで体内に十分に蓄える。それを下・臍下丹田に伸ばしていき、下に降り切ったところで固定させる。そののち今度は草木が芽生えるように気を上の方から吐き出す（中国・戦国時代初期の『行気玉佩銘』）

・あえて求むるなかれ、無為の国に静坐せよ。坐するに方三尺のところあらば、天地の春はこの内にみなぎり、人生の力と人生の悦楽はこの中にしょうずる。静坐は真に大安楽の門である（岡田虎二郎）

・臆病な者は大胆になり、性急な者は寛大となり、つまらぬことを気にかけ鬱々として楽しまざる者はよく胆を放ちて快潤の人となるべし（鈴木大拙：『静坐のすすめ』）

日本式の坐り方を正坐といいますが、それを若干変えて（後述）坐り、臍下丹田に意を集中し呼吸を整え心の安静を求める行を静坐といい、岡田虎二郎が明治末に工夫したものです。なお「ざ」には二つの漢字が当てられますが、すわることは坐で、歌舞伎座など場所に用いるときは座です。

自然（自ずから然る）と一体になって自己が放下されるとき、阿弥陀仏の方から救いがやってくる、というのが浄土教などの他力宗の教えと思いますが、静坐も自然と一体になれると思って坐っている行です。自分から神に向う道は、どこかで切断されるが、切断されたとき、逆に神が自分に向かってくる。それを神秘主義といいます。

神秘主義が、理想としてはともかく現実問題としてはありえないのなら、坐禅や静坐で坐り続けることに意味はないでしょうか。そうではありません。「私はこんなに熱心に坐り続けているから、きっとなにかを得ている筈だ」と思う気持ちが大事です。人間が何かに志したとき、その人はすでに悟っている（修証一等。道元）、必ず何かを得ています。自我はあるけれどもそれに妨げられない、勝手に動きまわらせないのが修行を積んだ人である。心身を挙げて修行すれば自我の呪縛から逃れられるようになる。『華厳経』の中に「初発心時　便成正覚（悟りへの心を発したとき、それはもう悟りの成就である）」。証・悟りは求めるものではない、修行していること自体が悟り。ただ欲張りすぎてはいけないだけです。信じきれないから中途半端の龍頭蛇尾。龍のはずだが蛇。悟ったはずが夢。「一切業障の海、みな妄想より生ず、もし懺悔せんと欲せば、端坐して実相を思え、衆罪霜露のごとくたちまち消える（観普賢経）」。

中国宋代の儒教（朱子学）は厳格な精神修養を重視しましたが、それには二つの段階があり、第一段階の静坐と第二段階の事物の徹底的な批判的探究（格物致知）です。心が落ちつくだけで十分なのですが、その落ちついた心で探求に向かえれば十二分です。朱子学の基本概念は「格物致知」です。格物は、物についてその理（本質）を明らかに観ることをいいます。たとえば鏡にはなにものも残すことなく物が映りますが、心を鏡のように研ぎすまして対象を見る。そういった能力によって世界に対処することを致知といいます。心が澄まされれば相手である物事がそれ自身でやってきて心に現れる。物来たり順応する。このように説く朱子学はいわば唯物論です。これに対して陽明学は唯心論的で、心の本体である良知を十分に発揮し（致良知）、そうすることによって物事を正しく理解し物事に処する（格物）ことが格物致知。いずれにしても心でよく見る（観照）ことなくては現実に対処することは難しい、だからよく観なさい。見るではなく観えてくる。

姿勢が悪いと身体の方々に余分な負担がかかり、疲れやすくなります。なによりも見た目が悪く、他人に良い印象を与えません。が、寝ていても立っていても身体の中心が安定していればかまいません。呼吸が深くかつ整い心が安定すればよいのです。たとえば、岡田式静坐の要領書には「心を下腹部（肚。丹田）に置くこと」とあります。しかしどんな姿勢でもだらしないものは駄目です。

静坐は次のような方法です。日本式正坐姿勢において両足首から下部を交差させてその上に腰を載せます、結跏趺坐や半跏趺坐で腰の下に座布を敷く坐禅とその点がまず違います。腰から上の上半身を、背筋を真っすぐに伸ばして重ねた踵の上に軽い前傾姿勢で乗せます。上半身は前傾していますが、頭部は顎をあげて正面を向きます（図3）。前傾姿勢をとるのは俗にいう鳩尾を落とすためです。その姿勢で目を閉じて深く静かな呼吸を繰り返します。呼吸は横隔膜が下がることによって肺が広がる腹式呼吸です。この時空気は鼻孔を通りますが鼻腔は単なる通路で、空気の動きをコントロールするのはあくまでも横隔膜さらに言えば腹横筋です。吸気時には横隔膜が下がって胸腔は陰圧になり肺に空気が入ります。横隔膜は不随意筋で人の意志に従う筋肉ではなくて、随意筋である腹横筋を拡げることに伴なって横隔膜は下り、その時下腹部は膨らみますがそこへ空気が入るために膨らむのではありません。呼気時には腹横筋を収縮させることに伴なって横隔膜が上って肺から空気が出ていきます。このように空気の動きは腹横筋に支配されています。

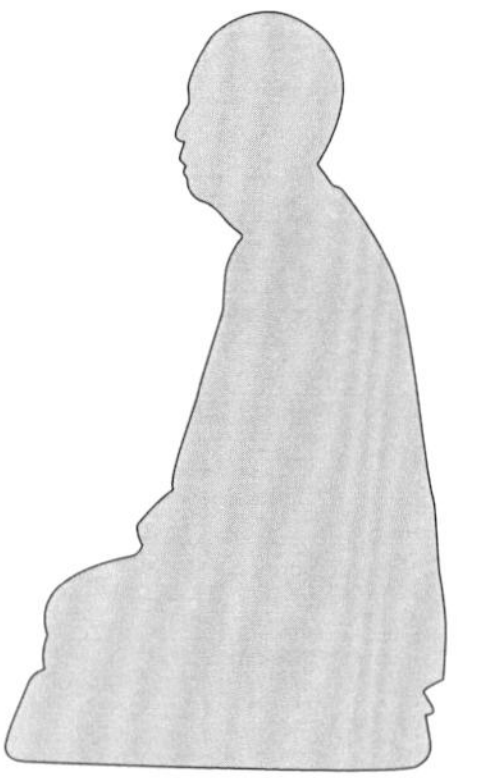

図3

　息を一気に深く吸っていったん止めてから、今度は下腹部（臍下丹田）の一点に意識を集中しそこに力・腹圧を加えつつゆっくりゆっくり吐いていきます。大事なのは伸ばした上半身を前傾させることで鳩尾を落とすことです。そうすることによって上半身の力が抜け空虚になって自然に身体の重心が下に降りてきます。こういった姿勢・調身と呼吸・調息によってだんだん心が落ち着いてきます、調心といいます。これを30～50分つづけます。

　丹田に意識と力を集中するため眼は閉じます。静坐の最中にいろいろな念が浮かんできますが、それを気にしない、要は静かな呼吸をつづけることにあります。感覚刺激をすくなくし、眼を閉じ、音の少ない静かな環境のもと、姿勢、呼吸、精神を正す調身・調息・調心によって心の静穏を得て、神経回路が望ましいものにつくり変えられて行き、新しい機能を獲得すると考えられています。

静坐においては何も考えてはいけないといわれます。考えるとそのことに意識が向かい、心の平静が乱れるからです。その静かな状態で、自分自身がおのずから宇宙と同一化することを期します。呼吸を通して大宇宙（ブラフマン）と人間のことをさす小宇宙（アートマン）をつなぎます。あるいは、心理学で言う観念連合によって肚の中で宇宙と個我がつながるという神秘主義の極致が静坐と思います。静坐によって悪しき生活に気づくことは、その結果である認知症も含めた生活習慣病の予防にも資すると思います。

岡田は、身体の特定部位である肚・気海丹田が精神の安定と深い関係にあると直観し、呼吸とくに呼気時に下肚の一点に力を籠める、腹圧をかけること（精神集中と副交感神経刺激）が精神の安定、穏やかな心（調心）、をもたらすことを明らかにしました。

静坐を長年続けていると、丹田（丹・薬を生み出す田圃）ということば通り、そこから力が湧きだしてきます。何十年も静坐を続けている人におおよそ次のような話を聞きました。「ひとに勧められて俳句の会に参加したものの、いやで仕方ありませんでした。けれども、とにかく出つづけていました。そのうち努力しないでも自然にしかも褒められるような句ができるようになってきました。それがどうも腹の中からでてくるようなのです」。腹が句を生む。同じようなことが静坐にかぎらず坐禅や静坐を続けている人にはあるようで、腹脳（ふくのう）という術語すらあります。静坐を続けた、続けることができた人は坐っているとき、心の雑多な動きが消える。いざ作句におよべば坐時と同様に雑念が消え、消えて空いたところへ俳句が湧いてくる。

私が坐っているのは、何かを目指して坐っているのではなく、「坐っているうちに何かになっていた」を望んで坐っています。修証一等。

6. 歩く

・魚は泳げなくなると、鳥は飛べなくなると死ぬ。では、歩けなくなった人間はどうなるのだろうか

・わたしには二人の医者がいる。左脚と右脚である。身体と心の調子が狂ったときには、その二人の医者を呼びさえすれば、すぐまた回復する（トレヴェリアン『歩くこと』）

・あなた方に栄誉をあたえるのは「どこから来たか」ではなくて、「どこへ行くか」だ。あなたがた自身を超えて行こうとする意志と足（ニーチェ『ツァラトゥストラ』）

毎日、一定距離以上を歩きつづけることは立派な修行です。同じ所を歩くのも、どこか遠くの目的地へ行く（巡礼など）のも同じです。それに静坐の呼吸が加われば後述の歩行禅。

人は二本足で歩く動物であり、地球引力の重圧を四足の半分の二本の足で背負っています。二本の足で立って動く、歩くということを基本に人間は成り立っています。足を使って為すことには立つ、しゃがむ、歩く、走るなどがあります。地に足を着け、膝腰を調え、その上に上半身を地球に垂直に立てて歩けば、どこへまでも至りえます、歩行、歩くことは呼吸と並んで身体に一定のリズムを与えるものです。歩行も呼吸も正しく続ければ体に無限の力を与えてくれるものです。

歩くことは精神と肉体にとって、とてもよいことです。すべての動物は、動物という言葉通り動くものであり、足があるから歩きます。地中深く根を持つ（大地と一心同体）植物と違って、歩かないと、動物は地に接する部分から腐ってついには全身が腐ってしまいます。歩くことは動物である人間の運命であり、また歩くことによって運命を切り開いてゆくことができます。大腿やふくらはぎの骨格筋を動かすことによって分泌される生活活性物質（サイトカイン）が最近発見され、マイオカインと総称され、歩くことは健康の客観的裏付けとして注目されています。

直立歩行する人類の先祖は７００万年前、現生人類（ホモ・サピーエンス）は20万年前にアフリカに出現したと言われています。人類は四足歩行の哺乳類から進化しましたが、身体の安定性の面からは四足のほうが有利であるのに、なぜ立ったかは謎です。立った初期には直立歩行に慣れないで他の動物の餌食になったはずなのに、幸か不幸か、不安定であったであろう時期に滅ぼされることなく生き延び、今日では他の生物の最大の殺戮者になっています。

類人猿が直立して歩くようになった真の意味は、立った当の類人猿たちにも分からなかった筈です。しかしその結果は途方もなく大きなものでした。時間がたって歩くことがだんだん上手になるにつれて四足で動いていた頃には想像もできなかったことが現実になりました。頭脳が大きくなったことと手の器用さの獲得です。直立の所為で脳が大きくなり（四足だと頭は垂れるので頭が大きいと不利、直立だと脊柱が脳をしっかり支えるので脳は大きくなれる）、歩行具としての働きから解放された手で物を持ち運ぶ、作るなどができる工作人（ホモ・ファベル）となりました。脳が重力から解放されて大きくなるのと軌を一にして人類は考えるようになりました。足と脳が、お互いに助けあい、補いあって進化した人類は他の動物から隔絶した地位に達しています。直立歩行は、動物進化における眼の誕生に匹敵する大事件といえます。脳が考え手が作るといった人類進化を裏方で背負ってきたのが足です。

サバンナという新しい環境に住み着いたことは類人猿から人への進化にとって決定的なことであったといわれます。進化は意図して為されるものではなく、その変化がたまたま生存するうえで有用であったから続くというのがダーウィン進化論の基本といわれます。現在地を離れ他のどこかへ移るというのは人類の遺伝子にもしっかり組み込まれているに違いありません。
足底（裏）は人体の内で大地と接する唯一の部位で、そこには全体重が乗るので、生命の宿る場所と考えられてきました。また、そこを侵されると立つことはかないません。伝説や神話に生命源としての足裏を示す例が多く見受けられます。古代インドのマダガ国王アジャセは父王を幽閉し足底を削って殺し自分が王になりました。ギリシャのオイディプス王は、父王を殺すという予言がなされたので生まれるとすぐ足裏をピンで刺して捨てられました。生き延びたオイディプスは、知らずして父王を殺し母と結婚しました。足裏を刺したり削ったりすることは殺害と同じこととされます。一流の運動選手やダンサー、役者は足の裏から息を吸い大地のエネルギーを吸い取り肚から吐くという風にイメージして動いているといわれます。

現在では足裏は靴下や靴で覆われ大地はアスファルトで被われていて、大地と直接することは滅多にありません。そのことはなんらかの意味で人類の健康や活力に影響を及ぼしている。足の弱った現代人は生物の持つ根源的な力から引き離されている、かもしれません。人体の各部が足裏の特定の部分と深い関係があることを示す図をよく目にします。足裏マッサージはそれ自体で気持ち良いものですが、関連部所を強化すると信じられています。岡田式静坐は足裏の土踏まず部分を十字に組み合わせた上に上半身を乗せ背筋を伸ばし、深い腹式呼吸を行う一種の行ですが、足裏を組み合わせるところに大きな健康上の意義があります。また、足裏は眼の届く身体のうち意識的にはもっとも眼が見ることの少ない部位です。身体の状態をよく反映しているので少なくとも寝る前に、一日一度は見るように努めてください。

重力のせいで下肢の血液は心臓へ還流し難いものですが、歩いて下腿・ふくらはぎ（脹脛）の筋肉が刺激されると静脈血が心臓に還りやすいので脹脛は第二の心臓といわれます。

二本であれ四本であれ、足は動物が生きる大本で、立てなくなったら頭や内臓があっても動物は死ぬしかありません。自分で立てなくても、食えなくても生きているのは人間だけです。足が地に着いていないとは、人に対するもっとも辛辣な批評です。下主上従、人体の最下部である足は、最上部である頭よりある意味で上です。白隠禅師の言った如く「至人は常に心気を下に充たし、庸流は常に心気を上に恣にする」。上等な人間は身体の下である足腰肚がしっかりしていて生き生きとした力が内部から湧き出ている。

7．旅

・わしにとっては、心のある道を歩くことだけだ。どんな道にせよ心のある道を、な。そういう道をわしは旅する。その道のりのすべてを歩みつくすことだけが、ただひとつの価値あることの証しなのだよ。その道を息もつがずに、目を見ひらいてわしは旅する（カスタネーダ『ドン・ファンの教え』）

・わたしは自分自身の旅人。そよ風の中に音楽を聴く、私のさまよえる魂も一つの旅の音楽(フェルナンド・ペソア『断章』)
・知らない街を歩いてみたい。どこか遠くへ行きたい。・・・遠い街遠い海。夢はるか一人旅（永六輔『遠くへ行きたい』）
・月日は百代の過客にして、ゆきかう人はみな旅人なり（芭蕉）
・分け入っても分け入っても青い山。どうしようもならない自分が歩いている（山頭火）

旅に目的はありませんが、旅人はじっと糸を垂らして何かが釣れてくるのを待っている釣り人に似ていなくもありません。無目的に歩いていると何かが釣れる、善いアイデアが湧いてくる、隠れていたものが見えてくる。最高の釣果は自己。歩いているといつの間にか自己が見えてくる。芭蕉は俳句とともに散文詩ともいうべき『奥の細道』を釣りました。そしてもちろん自分自身も。自己を釣り他己に釣られるのが旅という釣り。人は永遠の旅人。どこからきてどこへ行くかは知りようがない。だけれども何かを釣り釣られながら旅を続けている。釣果は本来の自己あるいは脱皮して新たになった自己。生きて旅しているだけで私たちは幸せを感じます。そういう思いを重ねることによって得られる心境において物事のものやことの真相が見えてくる、それが観照。幸福な境地にある人が世界を見る目は観照といわれ、そこではものごとの真の姿が見えています。

あるいは観照ができる人が幸福であるといってもよいかと思います。

人は永遠の旅人。一歩も歩かなくても旅のなかにいます。どこに居ても、旅の中に居るという自覚をもって生きてゆく存在といえます。満足をなげうって、休息を求める身体に鞭打って己を駆り立てるのが旅。遠くまで歩いても旅になっていない人もいるけれども。どこをどのように行こうと、結局たどり着けるのは自分自身の正体。坐禅や静坐が静の観照なら、歩く旅は動の観照。歩いているうちに、あるいは帰ってから何かが見えてきます。未知のところへ、そこを知るために行くことが旅行であるとすれば、旅は基本的に一人で、行くところは物理的な場所であるばかりではなく精神的な場所でもあります。「だがそのお年ではそんなに長い旅からとても無事には帰れますまい。——それがどうしたというのだ。わたしが旅を企てるのは、無事にかえってくるためでもなければ、やりとげるためでもない。動くことが楽しい間、動きたいだけである。歩きまわるために歩きまわるのである。わたしの計画はどこでも分割ができ、大きな希望の上に立てられていない。一日一日の旅がそれの終わりである。わたしの人生の旅もおなじ調子である。(モンテーニュ『エセー』)」。

私は満州国奉天市(現在の中国遼寧省瀋陽市)に生まれ、父母の故郷である島根県出雲市へ帰国し同地で高校卒業まで過ごし、大学入学と同時に東京へ移り住みました。1960年より1995年群馬県へ職場を変わるまでの35年ほど東京に住みましたが、その間都内で10回くらい転居しています。また学会、講演、観光などの目的で国内はもとより、世界5大陸の隅々まで旅をしました。定年後、国内各地の巡礼路を、海外はスペイン、フランスのサンチャゴ巡礼計５０００キロ余り。生まれた時から今に至るまで旅や旅行に明け暮れているといってよいかとおもいます。

２００７年から10年間ほど毎年サンチャゴ巡礼路（スペイン、フランス）を歩きました。毎回、一ケ月（30キロ／日）前後歩きましたが、最初のころは、ただ歩くだけと言ってよくピレネー山脈からサンチャゴまで８００キロ、とくに二回目は大西洋岸まで９００キロも一気に歩きました。同行者が嫌がるのも苦にせず般若心経を唱えながら、また歩き終えると宿泊所で同経を写経しました。

後期には主としてフランス国内をただひたすら歩くだけであったのが、やがて教会、大聖堂にあるロマネスク芸術を多く目に見るようになるにつれてそれらに関心が深まって、そちらが主目的のように、またなんの予備知識なく歩いているので、コンクとかロカマドールといったそれだけを目的に行ってもいいような神秘的な村々に突如出会い、世の中にはこんなところもあるのかと驚く余禄にも恵まれました。歩いてゆっくり移動するのが旅です。早く動くと何も目に止まらず心に残りません。急いで動いていては何にも見えない。ただ眺め通過するだけであるということにも気づかされました。

長期間重たい荷物を背負って疲れ切るまで歩くということは、高齢者には良い経験で、後期高齢期を生き抜く良き準備となったと思います。また歩いていると考えるともなく普段思いもしないようないろいろなことを考えているものと分かりました。物も心も、他も自も何重ものヴェールに覆われていて、歩いているうちにそれらヴェールの一枚一枚が剥がれてゆく気がします。帰るときれいさっぱり忘れられていて元の木阿弥なので、思い過ごしに過ぎないだろうけれども。この世にもともと秘密などはない。万物斉同。そのことが身体の芯から分かることが旅です。

サンチャゴ巡礼を10年近く毎年続けたことによって自分を総括し見据え、就いた仕事を終了した後の人生をどのように過ごしてゆくかに関してこの本を仕上げるという確固たる方針を得ることができました。長く歩くことも深く考えることも叶わなくなった80才超となってしまって、昔取った杵柄をふたたびとって医者になっています。

日本では四国遍路、西国巡礼、秩父巡礼の道などが代表的巡礼路です。多くは沢山の寺社を廻って歩き、お寺に着けば仏さまと対話をします。歩くことと対話があいまって修行と見なされています。奈良・和歌山の大峰の山岳修行は辛かったけれども3年続けて、四年目も基地である吉野の喜蔵院にリュックを送ったが出発前日に母がなくなって中止。おこりが落ちたようにその後は行っていなません。母が死ななければまだ続けているかも。巡礼においては最終目的地に到達することはもちろん大切なことですが、それと並んで、時にはそれ以上に重要なのが途中、道中。「旅にいて家居を忘れず、家にいて途中を忘れず(『臨済録』)。巡礼は移動であると同時に苦行であり、母胎回帰であり、自分の過去行く末に思いをはせるのである。これらと違って日本には山岳修行というものがあって、霊山に籠る、霊的な山を経廻るといったこともあります。わたしはじっとしていることは嫌いなので羽黒山の山伏修行は一回で懲りました。これは何もしない、眠らない、飲まないといった修行でした。

歩くとは何かを求めて、この道しかないと思い定めて歩くことです。どんな人種や宗教にあっても、超越的な何かを求めている人や行為を旅人とか旅や巡礼にたとえています。ノーベル賞受賞の物理学者・湯川秀樹は自伝に『旅人』と題しています。彼は一生、物理学の研究に捧げましたが、それは旅であったというのです。彼は研究を深めることを通じて、自己自身も深まっていった代表的な学者と言えます。その旅は一歩一歩、階梯をのぼって行くのに譬えられます。階梯のどのリストでも第一歩は改悛と位置づけられています。改悛とは自己の罪を謙虚に悔悟の念をもってふりかえることで、心のおごりに対する妙薬と捉えられています。ここでいう罪とは具体的な悪行ではなく、己の存在自体が罪だという考えです。「汝らここに入る者はすべて、自我を捨てよ」。

旅においては行住坐臥に心を込めて行います。「ただわが身をも心をもはなちわすれて、仏のいえになげいれて、仏のかたより行なわれて、これに従いもてゆくとき、ちからをもいれずこころもついやさずして、生死をはなれ、仏となる(道元『正法眼蔵』生死)。日々の務めを果たす、自分に会う、そのことこそが修行という名の旅です。それは、なにも旅、歩くことだけに限りません。人が心を込めて行うことはすべてそうあるべきと思います。このことをやり続ける先には死があると思いながら人は生きています。

人間が生きるということは、「4．生きる」で述べたように何かを作ってゆくことと自己を極めることですが、それとともに何処かへ向かっているということでもあります。わたしは前述のように満州国奉天という処で生まれました。なにも覚えてはいないのですが、心のどこかに残っているのでしょうか、地平線（や水平線）に接するとき、異様な胸の高鳴りのようなものを覚えます。人間のまなざしは、何処まで行っても届くことのない地平の彼方へ向かって吸い寄せられようとするもののようです。人間には生きる身体性と言うものがあって、自分の彼方にある地平線を追い続けるという本能があるかもしれません。そこは希望や意味に満ちています。なにがあるか分からない遠くへ向かうということは、アフリカに生まれ世界中に広がっていった現生人類の本能かも知れません。地の果て海のかなたはまた、古代の人達をおののかせたように恐ろしさに満ちています。「人間から取り去ることができないという点で、地平線は影法師に似ています。それらは人間の外面的にも、そして内在化されて心の内でも、人間に付きまとっているものです（霜山徳爾）」。

巡礼こそがたどり着けない地平への旅。「夕べに憩えば影を抱いて寝ね、朝に行けば思いを含みて征く」。地平の手前の、ちまちまとした旅行は旅ではありえません。巡礼、遍路はただ歩くことである以上に終わったときには生まれ変わった人間になっていることを願って為され、現実に変わることもあり得ます。「脚力尽くるとき、山さらに好、有限を持って無窮を追うなかれ（蘇軾）」。人は決してたどり着けはしない地平線を目指して歩き続けるという巡礼者。そして巡礼の途中で死ぬことになっています。「あかあかと一本の道通りたり　たまきはるわが命なりけり（茂吉）」

生きることは旅、そして旅は死を見すえたもの、意識しなくても死の練習になっています。旅を続けるうちに万物は済同、日本もアラビアもヴェトナムも基本的には同じであることが理解できます。非日常的な体験である旅を荘子は「照明」と言っています。そういういわば高見（み）に達することができればその旅は成功、照明を通して事物を理解すると万物は同じことが分かるようになる。すべての事物は存在論的に同じというのが万物斉同。

旅に最初から意味をもとめてもならない、ただ旅が始まり続くだけ。なにか感ずるところがあって（改悛）人は歩き出します。旅を続けるうちに、自分にとって旅とは何であるかが分かってくる。そうすると旅は無限運動のように続いていきます。旅とはそういうもの。とにかく、なにかに促されて出発しなければ、始まらない。自分の殻を破ろうとする、意識には上らない努力が旅。

古代の人びとはどこであっても、故郷というものは守護神（産土神）に守られているが、一歩そこを離れると異神邪霊が跋扈している即ち危険が満ちているところ、と考えていました。万葉集にある次の歌はそのことをよく示しているといわれます。「周防にある岩国山を越えむ日は手向けよくせよ荒しその路」。峠路や海上でなくても、道はおそるべきものでした。もし呪詛が加えられていると、人はかならずそのわざわいを受けました。そのため道路には、これを防ぐ種々の呪禁をくわえておく必要がありました（白川静『漢字』）。そして守護神の守護から離れて自分を試すのが旅でした。

旅とは単に場所を移動することではなく、足は心も引き連れてゆき、物理的・精神的に新しくなった環境では大小の脱皮が繰り返されます。いわば井戸の中といえる日常から飛び出して、あるいは自我のしがらみから抜け出して、天地の限りない広さを実感できるのが旅。もし実感できないようなら旅とはいえません。人をある場所でしか通用しない者から、どこでも通用する者に変えてくれます。somewhere派からanywhere派へ。旅を終えたときに何かを得ているために旅をするのではありません。歩き疲れてその日の停泊地である宿に着いて休んでいるとき、なにものにも邪魔されることなく心に浮かぶ世の中の、物の、見え方を大事にしたく思います。

道を歩きながら自己を捨て（否定し）、新しい自己を実現しようとしてゆくプロセス（途中）には美しくかつ尊いものがあります。昔の日本の宗教家（一遍）や芸術家（西行、芭蕉）には旅の中に生きたといっていいような人が少なからずいました。かれらはどこへ行こうと思って旅をしたのではなく、旅そのもの旅のプロセスそのものに価値を見いだしていたように見えます。詩を生むために歩いたのではなく、歩いた結果詩が生まれた画が生まれたといった方が良いかと思います。変わるために旅するのではなく、旅の結果変わった。「月日は百代の過客にして、ゆきかう人はみな旅人なり」と、50才に満たない短い生において交通のままならない江戸時代に本州中を芭蕉は歩きました。旅するのは万葉の歌人、中世の連歌師に連なる伝統とはいえ、芭蕉は歩きまくって多くの秀句を詠みました。当時の北の果て松島や佐渡まで芭蕉が歩かなかったら、俳句の歴史は違ったものになったかもしれません。彼は『奥の細道』を書くために歩いたのではありません。歩いた結果、古い自己が壊れ新しい自己に脱皮したことが自覚されたので筆を執ったと思います。芭蕉の旅こそは旅であり、俳諧は序にできたにすぎません。芭蕉は同じところを二度と旅していません。その旅その旅に持てる力のすべて挙げて問いかけ、得ることができるものをすべて得ました。『奥の細道』と自分自身を釣ることができました。現代において、芭蕉を崇拝するあまりの「奥の細道」をたどる旅というものが結構行われていて、一種の巡礼の様相を呈していきます。しかし、人が歩いたからという理由で歩いても、いかにその最初に歩いた者が偉大でも二番煎じには秀句はできないし、キョロキョロするばかりで自分のことも分かりません。

何日も何十日も歩き続ける旅、巡礼や遍路、においては、日が経つにつれて心が澄んできて、理想的な場合には物の見方や見え方も変わってくると言われます。自我の拘束から抜け出して生きていることの素晴らしさを実感できるのが旅です。長い旅とくに巡礼とか遍路を続けるうちに、宇宙の限りない広さに包み込まれて自我はどこかへ溶けていっています。

旅ははっきりした目的なく、行く場所の遠近は旅の本質とは何の関係もありません。まったく動かない自分への旅というものもあり、それが究極の旅とすら言われます。旅は方法も目的も定かではないまま始まります。なぜなら旅とは自分を投げ出すことであり。壊れたとか脱皮したなどは結果に過ぎません。旅とは目的を欠いたもので、それ自体の中で始まり終わるもの、元のままで帰ってくる旅もあります。旅においては、ただ旅があるだけ。旅を旅する。極端にいえば、つぎに何が待っているか分からないのが旅です。

哺乳類は母の胎内を出てから休むことなく動き、旅を続け旅の中で死んでゆく生き物です。一定地に閉じ込められている家畜や奴隷を見れば野生動物や人間の幸せが分かります。自由人とは、旅に出たいとき出ることができる人。人間は脱皮を繰り返し成熟してゆく動物で、旅は脱皮の大きな契機となりうるもの。われわれは板子一枚の上に生きていて、その下には無すなわち死がひそんでいる。自分が何処から来たかは知らないし、どこへ向かっているかも知らないで、ただ周囲から小突き回されているうちにお迎えが来てしまうのが人生。生が終わるころ何かが分かってくれば幸せな人生といえますが、旅もそんな風に人生に何かを加えてくれます。

人生が一人で歩むべきものであるように、旅はひとりで行った方がいろいろな意味で旅が与えることのできる本当の結果が与えられます。生まれたときから始まって、方法も目的も分からないまま為されるのが生きること。旅も同じ。立ち止まるか進むか。この道かあの道か。決めるのは自分の気まぐれに従えるようにしておくべきです。目的は無限だが、手段は無限ではありません。旅は人生を理解するよき手段と思います。

旅に関する誤解で大きなものは、遠ければ遠いほど長期にわたれば亘るほど旅らしいというものです。旅にとって距離や時間は二次的なものに過ぎません。人生にとって、大きな目標を持って、志を高く掲げればそれだけ立派な人生を歩めるといったものではないのと同じことです。遠くを訪ねるばかりが旅ではなく、近くを訪ねるのもまた旅。メーテルリンクの『青い鳥』では、訪ね廻ったすえに見つけた青い鳥は自分の家の庭に居ました。

昔は、必ずしも遠くへ行くことだけではなく、住居を離れることすべてを旅といったそうです。家を離れると見知らぬ人や物に出会う。出会えば事件がおこる。風邪を引くのも花粉に会うのも事件。人が死ぬだけが事件ではありません。すべては心が描くイメージにすぎません。その心の動きを止めてものごとを正しく見なければならない、という仏教の考え（唯識）もあります。三界唯心　唯是心作。すべては心の描き出したもの。

「遠くへ、長期に」も為す人がなせば、もちろん大きな成果が得られます。ヘロドトスや司馬遷、あるいは班固は、当時知られた全世界を旅した大旅行家として知られています。歴史には時間という縦軸とともに空間という横軸も要ります。空間という比較がないと歴史意識の起こりようがありません。だから彼らは歴史の父となり、ヘロドトスは『ヒストリア（歴史）』を、司馬遷は『史記』を、班固は『漢書』を残しました。戦国時代末期にはるばる日本を訪れたザビエルに代表されるイエズス会の、あるいは新大陸アメリカへさっそく出かけた宣教師のように宗教家にも大旅行家がおおくいます。パウロは東地中海のほぼ全域を旅して、キリスト教の宣教を行い各地へ手紙を書き、キリスト教の基礎を築きました。かれの『ローマ人への手紙』などは福音書と並んで新約聖書の重要な部分を占めています。

近くて、実は最も遠くへ、が心の中への旅。人は意識しなくても自分は「どこから来て、どこへ行くのか」と問うている生き物です。ギリシャ神話のオイディプスが旅に出た真の理由は、生誕の真相の分からない自己の探求であった筈です。この世の中で最も謎に満ちているのが自分の心と出自。分からない己の心の中へ分け入っていくのは旅の中の旅です。行った先を肉眼ばかりではなく、心眼でもってでも見る。自分自身のことを考えることは実は大旅行をしていることです。よく心は宇宙より広いというではないですか。旅とはすなわち観照できる眼を養うことです。見えない世界に隠されているものを、心が確信の光によって観る。

詩人・正岡子規は脊髄カリエスという病気で病床に縛り付けられて動けませんでした。遠出できなかったので次善の策として病床で詠みました。床上ではあり、詠んだのは身近な題材ではあったが、心は時空を超えて遥か遠くへ飛んでいて、秀句が生まれました。彼は病床にあってもあらゆるところへ旅をしたといえます。人誑しであった子規はその周りに多くの人を集め、彼らの話を聞きながら旅をしていたのだと思います。そういった旅は彼の俳句、短歌に一層の生命と奥深さをもたらしました。人生は歩くことのなかにある。歩けないことぐらい辛いことは無い。足が弱って歩けなくなるのは幽霊のようなものだ。それを逆手に取ったのが子規。彼は偉大な旅行家であった。ぶらりと訪ねただけの人よりも、行かなかった子規の方がそこのことをより良く分かっていたといえるかもしれません。

旅は時間空間にしばられないもの。足で移動し、時には疲れ時にはやすらう。どこをどう行こうと、結局たどり着くのは自分自身。「ローマへ行くとも　労多くして益少なし　外をどこまで追おうと　神は、自分の内に見出さなければ、ローマにも居ない（9世紀アイルランドの大修道院長）」。「わたしが求めているのは時間でも金銭でもなかった。生きることだ。健康に生きるという意味ではない。より虚飾のない心を充実させるひろがりをもとめていた（CFラミス）」。

多くの旅人を満足させるものは、変化と多様性に富んだ新しい環境による自己変革です。だれも現在の自分に満足してはいません。いま以外の所に目は向いています。旅を楽しむためには新しい環境に適応できる融通性と、それにもかかわらず保たれる確立した自己です。後者を欠けば新環境に呑み込まれるだけです。世界は永遠のブランコ。定めもなくあちこち揺られているだけ。

揺れて自分を失わないこと。わたしが本稿で旅といっているのは、歩いてイマココから外を訪ねることです。列車で移動するときはこちらの意思と関係なく対象は過ぎ去ってゆきますし、もちろん、素晴らしい光景だ止まってくれと叫ぶわけにもいきません。着いたらついたで、そこに慣れるまで時間がかかります。速いということは旅においては決して良いこととは言えません。喜びをわきに置いています。

旅とは未知のものに出会い続けること、もう一つの生を生きることです。人生が旅、旅が人生であるとは単なるレトリックではありません。芭蕉の『奥の細道』は「行く春や鳥啼き魚の目は涙」ではじまり、「蛤のふたみに別れ行く秋ぞ」で終わっています。友人知人と別れて旅立ってゆく離別の情が歌われています。旅は、会いそして別れてゆく人生そのものです。旅においてはまったく新しい多くの人達に会いやがて別れざるを得ません。

「どこへいっても、そこを立ち去るときには最後の別れを告げる。そして毎日、自分の持っているものを処分してゆくのだ（セネカ）」。知らないうちに生まれ、ただ周囲から小突き回されているうちにお迎えが来てしまうのが人生。歩きまわっているうちに、小突き回されていても、分る人には分かり、分からない人には分からないのが、旅であり人生。旅そのものによって生きる。自分が何処から来たかは知らないし、どこへ向かっているかも知らない。無心に先入見なく眺めたり、喜んだり、悲しんだりする。われわれは板子一枚の上に生きている。その下には無すなわち死が待っている。旅もそのようなものかもしれません。何故そんなところを歩いているのか、と聞かれても、返事に窮することが多いのです。

旅とはそれ自体が優秀な師匠です。問うとは考え続けること。問い続けてその問が煮つまらないと答えは得られません。人生とは問い続けることの別名。愚かだから問うのではなく、悩むから問うのです。旅を続けることは自分を見つける、自分に出会うもっともよい方法です。

旅も、旅する人と旅する場所との一期一会的関係です。旅に目的はない、目的があってはならないといいましたが、意識下には直観的にあるのです。悩みある人が旅に出て、ある時ハッと、そうだここここそが私が旅すべき場所だったのだ、と判然とする。

・冬のさなかに辛苦してきた。春が来たけど、悟らない人とおなじ顔をして飯を食い糞をたれている（ある天皇が悟ったと認められたときの句）

人生は終わりのない永遠の旅といわれます。ところが、悟った人には日常がいつでも終点。いつ終わっても後悔はない。現実がそのまま永遠。凡人はどこへとも知れず流されるだけ、どこへ向かっているかわからない。非凡人は流れの中にあって流れに乗りかつ沈まないで、行きたいところへ行く。悟と不悟の違いは自由の有無にある。「山中何の有る所ぞ　嶺上白雲多し　只自ら

怡悦すべし　もって君に寄するに堪えず（道教の僧・陶弘景）」。
いついかなる時でも主人公は自分、天上天下　唯我独尊。師の臨終に際して途方に暮れ「どうしたらよいでしょうか」と問う弟子どもに問われ仏陀は「自己を燈明とせよ」と答えています。誕生から死にいたるまで、自信をもって自己を頼れ（燈明とせよ）と。その間をつなぎ、自分を頼るに値するものに為すのが人生という旅であり修行である。

旅は歩いて場所移動することですが、できれば身体と心を安定した状態に保って移動ができればなおよいとおもいます。これこそ舞鶴の松尾心空師の言われる歩行禅です。「下腹部に力を込めて歩くのは、道場で坐禅を組むのと違いはない。坐禅は何も道場でだけ行うものではない常住坐臥が坐禅の場である。1日に数十キロも歩くと、身体の疲れで心が無となり、それがやがて法悦へと高まり、仏がほの見えてくる。それこそが歩くことの核心、歩行禅だ」。と、心空老師はつねづねおっしゃっていました。令和三年七月遷下、享年九二歳。

8．観照

・人生を過ごすことの最善の方法は観照のなかで生きることである。そこにはまったく実用的な目標がないからだ。目標とはそれ自体の中に喜びがあること（アリストテレス）
・立派な馬鹿になるのは大変なんだ。だから、馬鹿になる自信がなかったら、ごく普通の利口な

人でいたほうがいいよ。要するに、馬鹿を直す必要はない。利口を直したほうがいいのだ（赤塚不二夫）

・人間の完全な幸福は、神を直接的に観ることである（トマス・アクイナス）

修行によって自我が減少していって、その心に現れてくるものが観照の世界です。日常生活のあらゆる心遣いや関心を離れ小さな自我を抜け出し、真我によって世界があるがままに見えることがコンテンプラチオ（観照、観想）。肉体の眼が自分の外部にある対象はなんでも見ることができますが、自分自身を見るためには肉眼は邪魔、鏡が要ります（ヴィーコ）。目に見えないこの世を奥の奥で統べているものを観ることを観照といいます。余分なものを切り落として鎮まった心で自分を見つめ、自分を明らめるところに宇宙の真実が見えてきます。観照（瞑想）は頭のというより心の働きで、主観を交えないで対象を冷静に見つめる事で、目を閉じて静かに考えること、現前の境界を忘れて想像をめぐらすことです。仏教では智慧をもって事物の実相を捉えることが観照です。

心を内にとどめる坐忘（『荘子』）が観照の核心です。「坐忘」とは心が刺激を求めて外へ動き回る「坐馳」の対極で、身体も心も忘れ去られ心身が宇宙に遍満する秩序・道と合一した状態。そこでは、心が肉体を支配しているのではなくて、肉体が心を、です。しかし、心は全方向へと駆けめぐる坐馳という習性があり、それを抑えるのが坐禅や静坐。磨かれた鏡や静かな水面のように、澄み切った心で対象・相手を観ると相手がありのままに見える。心を明鏡のように磨ぎ澄ましておければ、いかなる事態が起こってもそれに対処する道はおのずと湧いてきます。明鏡止水。世にいう「物来たりて順応する」です。

観照を英語ではcontemplationといい、「気づいていること」あるいは「注意深いこと」です。ふだん気づかずにいること、他人が気づいていない事に気づくことは善く生きてゆく上で非常に大切なことと思います。他（人、物）が分からなければ自分のことも分かりません。自分のことが分からなければ他のことも分かりません。自と他は、相即相入の立場にあります。人間は、まず自分自身に戻り自分自身が見えなければ真の観照には至り得ません。明鏡のように心が鎮まっていて事物の実相を捉えることが観照です。観照とは対照を客観的に見つめ、他の方法では得られない対象の本質に迫ることです。

どうすれば心が鎮まるでしょうか。型から入るのです。身体が心を支配します。調身・調息・調心（P271）。観照は求めずして、自然に至るものです、人生修行の結果。明鏡のことを西田幾多郎は自己主張するなにものも無い「無の場所」といいました。無の場所に居る、自我を消し去って無になって、物となって考え物となって行うところに相手が反応してくれる、そうでないと世界や物は見えない、真相は分からないというのです。芭蕉の言った「竹のことは竹にきけ。

松のことは松に聞け」のように、何かを見るとき自分を消してそのものに、竹や松になって見る。無の場所とは、たとえば「私は医者である」というとき医者は私の一面にすぎません。現実の私は真っ白な無の場所にその時々に姿を映している人・現象に過ぎないのです。われわれとは結局、あるとき無から出てそのときだけ居てやがてまた無へと消えていく儚い存在に過ぎない。真のわたしはあくまでも無の場所にあるものの影。無ではあるけれども、しかし、単なる無ではなく、すべてを写（映）しだせる鏡である。私はその鏡に、たまたま医者としてうつっている現象です。なにかがあるとは、その背後に「無」という本質が控えているそのように物事を観ることが観照です。これは、「われ惟う、故にわれあり」というデカルトのコギト即ち惟う自我が担う合理的な自問自答的な思考だけが信じるに足るという考えの対極にあります。コギト主義は、物事が置かれた場所を無視して超越的な立場に立って合理主義の眼でものを見ようとします。そこに見えるのは表面的なものに過ぎないと西田はいいます。

彫刻家が、いろいろな余分なところを切りとったり磨いたりして物の真実に迫るのとおなじように、同様な作業を粘り強く自分に向けて真に迫らないと自分のことは解らない。そのように自分の彫像になりきった、真の自分が見える時、その時こそ見たいものが見える（観照）ようになります。

観照はプロティノス（205〜270）哲学の重要なキーワードで「自分より上位のもの優れ

たものを観る」ことをいいます。かれの哲学は、すべてのものの根元を「一者」といい、この世にあるすべてはそこから流れ出たもので、それらには段階があり一者、知性（ヌース）、魂、自然という順で下降してゆくとし、一者を頂点とし自然に至る全存在の階層的統一構造論です。最下位の自然に相当する人間は、自分自身に戻り自分自身が見えるようにならなければ真の観照には至り得ません（『エネアデス』）。観照的生活は何の目的も持たないけれども、それに固有の快楽をしっかり持っています。「諸法の仏法なる時節、すなはち迷悟あり、修行あり、生あり、死あり、諸仏あり、衆生あり。略。自己をはこびて万法を修証するを迷とす、万法すすみて自己を修証するはさとりなり（道元『正法眼蔵（現成公安）』）」。観照はさとり。

秦・始皇帝の死後、二世皇帝はどうしようもない愚か者で、宦官・趙高が馬を献じて「これは鹿です」といったらそのように信じた。これが馬鹿の語源。愚か者には二種類あって、内部が固い馬鹿と緩いアホ。前者は自分の中になんやかやとたくさん詰まっていて、それが外から来るものにいちいち反応してしまって、ややこしいことになる馬鹿。黒住教の教祖・宗忠が人相見に「ひじょうに言いにくいけれども、あなたはアホの人相だ」と言われたけれども「わたしは長年、アホになる修行をしてきた。それが人相にも表れているとは喜ばしい」と。固い前者は「自己を運びて万法を修証する」、なんでも私が私がという馬鹿。緩い後者はみんな吐き出してしまっていて、自分の中に何にも残っていないで、外からくるものが何であってもそのまま中へ入れて溶かしてしまって反応がないアホ。

観照とは、アリストテレスはが言ったように、日常生活のあらゆる心遣いや関心を離れ小さな自我を抜け出すことによって世界をあるがままに眺める、で、ここにいったアホに通じるところがあります。自我とはそれを言う人によって異なりますが、簡単に言えば自己（が、偉いという）意識。自我をなくしたい人はなくせばよいし、大事にしたい人は守ればよい。年を取れば、中からどんどん抜け出ていって自我は自然になくなって行くものだから、無くそうなくそうと気張らなくても大丈夫。

ここまで自覚をもって生きることを強調してきました。が、それだけでは片手落ち。アホになって「てきとう」に生きる局面もないと、せっかく生きてもつまりません。色即是空。空即是色。自我という色をすてて空となる。

7章　天命を知る

・生きているから死ぬ。生きていないもの、生きなかったものは、死なない

・人間を除けば、すべての生物は不死である。なぜなら、かれらは死というものを知らないから（ボルヘス『不死の人』）

・一瞬く、に、美しさと恐ろしさを与えているのは死です。（P・メルシェ『リスボンへの夜行列車』）

・一滴の水だったものは海に注ぐ。一握の塵だったものは土にかえる。この世に来てまた立ち去るお前の姿は一匹の蠅――風と共にきて風と共に去る。この永遠の旅路を人はただ歩み去るばかり（カイヤム『ルバイヤート』）

・生き物を死が不意に襲うのは、まさに生命の奥底からである（フーコー『言葉と物』）

人間は種という共同体の中で生まれ死んでゆく生き物です。祖先から自分へそして子孫へと再生産を繰り返してゆくという種の一部に過ぎません。種の連続という大きな全体の中の単なるパーツです。個人としての新規性は何もなく、全体の一部であるという安心感に包まれていることに満足しなければなりません。人生とは、個我を超えて永続する種という構造の中で意味づけられるものです。

すべての生物は、種という全体の中から生まれ種に還ってゆきます。生も死も種の中で起こる

出来事です。全体という種（人類）が個々の成員（個人）を守っています。個人としての人間は、種としての人類の内の一部です。種が続いている限り、個人は人体の中の皮膚の垢のようなものでその個人の生死は種にとってとるに足らないことです。種という全体があって初めて部分もあり得ます。

片方にそういった全体観があっても、個人として自分は何とか生きつづけたいという別の面もあるのは言うまでもありません。「日々無数の人々が亡くなっているけれども第三者はまるで自分が不死であるかのように生きている（古代インド叙事詩『マハーバーラタ』）」。人は70才を超えたら、自分がいつ頃どのように死ぬか漠然とでも考えておかなければならない、と思います。

すべての運動にはゴールがあり、ゴールがあるから運動になっています。ゴールのない運動は妄想ないし混乱。生という運動のゴールは死です。死を見据えない生は無意味でしかありません。動物は、生と死の境にその身を持しています。死は、あらゆる方角から動物を取り巻いているばかりではなく、内部からも動物を脅かしています。

誰も死を経験したことはなく、経験者は何も語ってくれません。未経験者がしたり顔に語っているだけです。エンペドクレス（前495～435）は、四元（火、空気、水、土）が人間の形に混合されるとき、そのとき人は生まれ、分離されるときには死ぬと言っています。戦時中に書かれた小林秀雄の随筆『無常ということ』に「この世は無常とは決して仏（教）の説くようなものではあるまい。それは人間の置かれる一種の動物的状態である。現代人には鎌倉時代の何処かの生(なま)女房ほどにも無常ということがわかっていない。常なるものを見失ったからである」。常なるものとは死。

　ものごとはその内部に必ず反対の要素を含んでいるものです。あるいはなにごとにおいても正と反が隣り合っている、禍福は糾える縄の如しといいます。光には闇が、闇には光が潜んでいて、夜が朝に昼が夜に変わってゆきます。素晴らしい文化が栄えた古典時代のギリシャですが、明るい部分（アポロン）と暗い部分（ディオニュソス）があり、それらが併さり一つになって初めて素晴らしい文化となったとニーチェは喝破しました。

　死というものは万人に訪れるものですがその受け取り方は人それぞれです。免疫学者・多田富雄によると「驚くべきことに、生物学者には死という概念はなかった」そうです（『生命の意味論』）。生物学が生の学問であり、その対極にある死は全く見ようとされなかったそうです。人体は60兆個の細胞からなり、全体の１／２００に当たる３０００億個が毎日アポトーシスという自死を死んで、同じ数だけ再生しています。生自体が最終的には全体のアポトーシスを、ウロボロス的な自分を使い尽くしての死を、遂げると言えます。人は必ず死すべきものであって、すべての人はそのことを知っています。すべての個が生き残って増える一方ならそれを含む種は立ち行かなくなってしまいます。現代人が、個人は種と独立してあると錯覚するようになって、死の意味が分からなくなっているのです。

人間も生物ですが、脳が大きくなったためか、自分のために生きるという面がだんだん肥大してきて、いつの頃からか自分が生きることが主になってきています。従容として死んでいく動物に対して、人間は生に執着し、人間種のために死ぬべきときにも死から逃れようとするように見えます。荘子は、物事の分かった真人は「生を有難がることも、死を憎むこともなかった。生まれたからといって嬉しがるでもなく、死んでゆくからといって嫌がるでもなかった。悠然として来たり悠然として去る」と言っています。自分の死を必要以上に大事にするのが、良いことか良くないことか私には分かりませんが、人間種のためにはよくないことと思います。

死というものは、人間にその最終目標について考えさせるもので、生物としての人間は目標でもあり終焉でもある死を、その奥底に見据えて生きてゆかなければなりません。人生は、生と死がつねに隣り合って舞っている、あるいは、生と死という二つの原理で成り立っている。誰もが死ぬのなら自分が死ぬことはちっとも怖くないはず、です。ただ苦しむのがイヤなだけ。蟻や蝶が死ぬのを見ても自然とはそのようなものだと納得できます。しかるに自分は別だと思って、死ぬのは嫌だと、限りある生に執着するのは心得違いではないでしょうか。要するに死を度外視している生は、生ともいえません。生のうちにやがて死に至る条件がはめ込まれています。「死期は序(ついで)を待たず。死は前よりしも来たらず。かねて後に迫れり。人みな死ある事を知りて、待つことしかも急ならざるに、覚えずして来る。沖の干潟遥かなれども、磯より潮の満つるが如し（『徒然草』）」。生きている同じものの中に反対のもの（死）が内在していて、死があるから生は生であり、死があるから生に意味があります。生は、生きているということだけで考えないで、死とワンセットとして考えられていました。死が常に身近に隣りあわせであった昔の人、常在戦場であった戦国時代の武士、失敗が切腹と繋がった江戸の武士は我々とまったく違った死生観で日々を暮らしていたのに違いありません。

トルストイは、死は意味ある現象であるか、と考え続けた人です。大昔の人たちは人生に満ち足りて死んでゆくことができました。それに対して近現代の文明人たちは歴史の一齣をせわしなく受け継ぎ受け渡しているだけの生にも死にも意味を見出すことのできない不幸な人たちである。というのが彼の達した結論です。死に意味を見出せる人だけが生にも意味を見出せる人、ということになります。

未来にあるであろうことは必然によってそうなるのであって、生きているものはいつかその必然によって死ぬことになっています。いつの日かその反対要素の方が優勢になって取って代わるものです。生が尽きた段階を死といいます、が、両者は断絶したものではなく、生とは死という句読点があるから生たり得ているものです。風は木の葉をゆするから風であって、何にもぶつからないのは風とは言えない、そのように死ぬときに死なない人は人でない。

人生とは、その人にとってだけの門、を通って入ってゆく道であり場所です。カフカの『掟の門』は次のような寓話です。ある農夫が一生の思い出にと有名な掟の門に入ってみたいと、財産を整理して出かけ、門の前で入れてくれと頼みました。門番は駄目だと言って入れてくれません、次の日もまた次の日も。農夫は消耗して死にそうになり、せめてて門の中に何があるかを教えてくれと頼みます。門番は門の中には次の門がある、その奥にも次の門があるだけだと。だれも来ないのはどうしてかと聞く農夫の問いに門番は「これは、お前だけの門である」。人生とは自分だけの門を自分の力で歩むところという話です。だれも助けてはくれません。「人生はうつろう影絵芝居、意味などありはしない（『マクベス』）」。

生きている以上、人は必ず死に、死んだら何もない全くの虚無というか元の構成分子に還る。土から生まれてまた土に還る。これが現代人の常識としての死です。孔子は流れる川の岸で思いました「逝く者はこれと同じだ、昼も夜も流れて休まない（人はみな生きて死んでゆく）」。流れる水が一瞬も止まることなく河口へ行く、そのように生きものはすべて死んでゆく。川は同じに見えるが流れる水は同じということはない、恒に変わっている。河口はあなたが来るのを待っている。時間的にも空間的にもこの世界には二つの同じものは存在しません。（同じ川には二度と入れない、別の水が流れている。パンタレイ、万物は流転する）。このようにしてのみ普遍的な恒常性は永遠に保たれる。消えるものがなければ次のものの出る幕がない。

全宇宙を貫流するいのちが個々の生物へどのようにして入っていったかは謎といわざるを得ませんし、また、どのようにして去ってゆくかも簡単なようで、深く考えればわからなくなります。世界は、変化生滅する現実相とその奥にある不生不滅の永遠相からなっています。

命というものは肉体と別個にあるのではなく、肉体のいわば総合力が仮に命であるとすれば、肉体と命は同時に生まれ同時に消滅するものです。現代人の多くは、死んだらすべては終わりと確信しています。しかし、死を嫌なもの拒否すべきものとしてのみ捉えるのは片手落ち。必ず来る死を積極的なもの、生の不可分な一部、として考えないと生は中途半端なもの足らざるを得ません。命が肉体とともに生じるのなら、その肉体が使い切られて終わるとき命も道連れになるのが当然です。完成を見据えない計画が不十分であるように死を考慮の外に置く生は不十分と言わざるを得ません。

生まれてきたからには何か訳があり、わけとははなにかを為すことだと思います、すなわち与えられた役割を一生かけて使って使い果たす。与えられた生の中で何かを成し遂げたという充実感があれば従容として去ってゆくことができる、死ぬのは嫌だけれども仕方ないという心境になれるとおもいます。どうせ死ぬのなら、死についてあれこれ心を悩ますのは無駄なあがき。あとは誰かが何とかしてくれる。必ず来る死を大げさに考えない、死ぬまでが大事。

覚悟

・死というものをどこか別の世界のことと思っている奴にロクなやつはいない
・死ぬときが来たら、死んだほうがよい（良寛）
・無為に過ごした80年はなんの役に立ったというのだろうか。その人は生きたというのではなく、人生をためらっていたのだ。死ぬのが遅かったのではなく、長い間死んでいたのだ（セネカ）
・今こなくてもいずれ来る。死はやがて必ずやってくる。覚悟がすべてだ（『ハムレット』）

死を嫌がる人は短い人生で何事もなしえなかった人の別名。ささいでもなにかを為したという自覚のある人は、死ぬことをそんなに嫌がりません、仕方ないと分かっているからです。「大切にしなければならないのは、ただ生きるということではなくて、よく生きるということ（ソクラテス）」の、その善く生きるの中には「よく死ぬ」も当然含まれています。あるとき、雪山童子という修行僧が山深くわけいったところ「諸行無常　是生滅法（この世ははかない）」という鬼の声が聞こえてきました。それに続く言葉が知りたくて、後の文句を教えてくれたら私を食べてもよいといったところ「生滅滅已　寂滅為楽（悟ることができたら死んでもよい）」という声が聞こえてきた。その僧は、己の指をかみ流れる血潮でその文句を岩に記し鬼の前に身を投げ出したところ、鬼は帝釈天に身を変え、若き日のお釈迦様である雪山童子を讃嘆した。悟ることが出来たら命は要らない。悟るとは、どんなに小さくても「なにか」を為したこと。ある瞬間、閃光のように閃めくものがあれば、この世に生きた意味がある。

覚悟がすべてだ。覚悟を固めて死んでゆけるような普段が肝心。実はいかに生きるかではなくて如何に死ぬか。生に意味を与えるのは死。死から逆算して生を考え実行する。終始一貫してこそ人生。

人間の生も他の生物と同じくそれ自体には何の価値もない、と思います。だれでも自分の歩みを顧みればよく分かることです。ただ人間には自我があって、それが自分自身を価値あると思わせているだけです。自我が強いと苦労することは経験的に分かっているけれども、自我はなくならないどころか肥大する一方です。自我をなくすことができればこの世はどんなに楽であるか、死すらも楽であることはチョット考えればすぐわかることです。自我にとっては死とは自分の死だけです。死の準備というものがもしあるとすれば、それは自我を減らしてゆくことです。

いかに生きるかということはいかに死ぬかと表裏をなします。表があれば裏がある。「汝自身を知れ」といったソクラテスは、外に目を向けることなく内部へ入って行って自分のをよく極めるよう勧めていると思います。自己を極めた先に、魂の探求の先に死が見えてきます。死が見えるということは自己が分かったということです。生があるから死がある。生老病死といいますが、老と病を挟んで生と死は相対しています。生だけを見ていたのではその生すらもよくは分かりません。「to be or not to be,that is the question 生きるべきか死ぬべきか」と言ってハムレットは終始悩み、迷ってばかりいて最後には不本意な死を遂げたので、悩むことのないドン・キホーテと並ぶ人間類型とされています。

本書の冒頭で述べた「健康」に生きた人は健康に（悔いなく）死ぬことができます。善く生きた人が善く死ぬ。呑気なピンピンコロリとは別世界のことと思います。

この本ができるまで生かして下さった
運命の女神さまに感謝いたします。

人 名 索 引

ア

カ

著者略歴

1941年　満州国に生まれる 一太平洋戦争開始３ヶ月前
(昭和16)
1943年　帰国して高校卒業まで、島根県出雲市
1966年　東京大学医学部卒業
1968年～ 2004年　医師（東京女子医大、群馬県立がんセンター）
2004年より、修行と思索
2022年　岩手県立大東病院で再び医師

自己をいきる —生る 活る 息る—

発行日　2023年1月1日
著　者　長廻　紘
発　行　上毛新聞社営業局出版編集部
〒371-8666
前橋市古市町1-50-21
TEL.027-254-9966